Diagnostic réunit des ouvrages portant sur des questions de brûlante actualité et destinés au grand public. Les auteurs sont invités à y présenter un état de la question, à tenter de cerner le problème et à suggérer des éléments de solution ou des pistes de recherche, dans un langage simple, clair et direct.

Diagnostic veut informer, provoquer la réflexion, stimuler la recherche et aider le lecteur à se former une opinion éclairée.

La publicité, déchet culturel

Du même auteur

Essais

La Créativité en action, 1998

Comment construire une image, 1997

Les Styles dans la communication visuelle, 1997

La Créativité : une nouvelle façon d'entreprendre, 1990 (épuisé)

Comment faire sa publicité soi-même, 1988

La Publicité en action : comment élaborer une campagne de publicité ou ce qui se passe derrière les murs d'une agence, 1987 et ss

La Segmentation des marchés selon la comportementalité, 1982 (épuisé)

Les Images démaquillées : approche scientifique de la communication par l'image, 1982 (épuisé)

Communication de masse. Consommation de masse, 1975, chef de la rédaction (épuisé)

Poésie

Sud, nouvelle, 1975 (épuisé)

À Mie, poésie, 1972, en collaboration avec Marie Leclerc (épuisé)

Estival, poésie, 1970 (épuisé)

DIAGNOSTIC *29*

CLAUDE COSSETTE

La publicité, déchet culturel

Les Éditions de l'IQRC

Les Presses de l'Université Laval reçoivent chaque année de la Société de développement des entreprises culturelles du Québec une aide financière pour l'ensemble de leur programme de publication.

Nous reconnaissons l'aide financière du gouvernement du Canada par l'entremise du Programme d'aide au développement de l'industrie de l'édition pour nos activités d'édition.

Nous remercions le Conseil des Arts du Canada de l'aide accordée à notre programme de publication.

Directeur des Éditions de l'IQRC : Léo Jacques

Illustration de la couverture : Anaïs Nadeau-Cossette

Photographie de l'auteur : Érik Labbé

Infographie : Mariette Montambault

Dépôt légal 3e trimestre 2001

ISBN 2-89224-324-6

Les éditions de l'IQRC
Pavillon Maurice-Pollack, bureau 3103
Cité universitaire, Sainte-Foy (Québec) G1K 7P4
Tél. (418) 656-2803 – Téléc. (418) 656-3305

Distribution de livre UNIVERS
845, rue Marie-Victorin
Saint-Nicolas (Québec)
Canada G7A 3S8
Tél. (418) 831-7474 ou 1 800 859-7474
Téléc. (418) 831-4021

À mon Grand Amour

qui suscite
redécouverte de ses forces
ouverture sur soi-même
générosité envers les autres
critique intelligente
aplomb accommodant
poussée dynamique...
toutes attitudes
que seul l'Amour peut déclencher

Je remercie

Denis Bédard, infatigable commis de la Bibliothèque Jean-Charles-Bonenfant
Gérard Blanchard, typographe, auteur, professeur et modèle d'humaniste
Luc Dupont, qui me rappelle la passion pro-publicitaires de mes 20 ans
Jacques de Guise, qui est la source encyclopédique sur la persuasion
Léo Jacques, éditeur, qui, malgré mes ergotages, a publié ce livre
Naomi Klein, la jeune porte-étendard du questionnement consommatoire
Marianne Kugler, qui m'a encouragé dans ma responsabilité d'universitaire
Pierrette Laliberté, qui m'a affectueusement poussé à une intelligente rigueur
Kalle Lasn, qui médiatise l'idée que la publicité épuise la Terre

« La domination de l'industrie publicitaire
est telle qu'aucune économie,
aucune culture,
ne peuvent échapper à son emprise.
Chacune des artères
de notre vie quotidienne
est piétinée par la machine à vendre. »

Daniel Schiller, professeur de communication
à l'Université de Californie à San Diego

En guise d'introduction : la bourse et La P'tite Vie

Le prophète de la communication, Marshall McLuhan, écrivait en 1988 dans *Laws of media : the new science* : « La publicité, c'est l'art des cavernes du 20e siècle. » Je suis d'accord avec McLuhan : la publicité est un art ; mieux : la publicité est peut-être une des rares possibilités pour la masse d'accéder à l'art sous toutes ses formes. Mais ce n'est tout de même qu'un art « des cavernes ». Comme dans la caverne de Platon, par elle, le chaland ne voit que le mirage des choses ; enchaîné à ses besoins factices, il troque sa bourse pour la « p'tite vie ». « Penses-tu, demande Platon, que dans une telle situation ils aient jamais vu autre chose d'eux-mêmes et de leurs voisins, que les ombres projetées par le feu sur la paroi de la caverne qui leur fait face ? » (*La République*, vers 375 avant J.-C.)

La publicité, c'est le masque charmeur de l'économie de marché. Masque charmeur parce que la publicité affiche ses plus beaux atours pour cacher sa nature véritable : persuader que le bonheur consiste à consommer jusqu'à épuisement... de la Terre. La publicité ne dit jamais directement : « Achetez ce produit, ainsi nos actionnaires feront du profit sur votre dos. » Non, la publicité fait miroiter le bonheur ; elle laisse entendre qu'on ne pourra l'atteindre qu'en achetant. Bien sûr, le consommateur sait bien, au fond, que ce ne sont que de petits plaisirs temporaires que les produits peuvent lui procurer...

Masque charmeur aussi parce que la publicité réussit à enchanter. Les sondages révèlent tous qu'il n'y a que les universitaires qui sont contre la publicité ; le monde ordinaire aime naïvement la publicité. Personne ne trouve qu'il y en a trop, tout le monde juge qu'elle est belle. Les jeunes, particulièrement, en sont friands. Une recherche de Karim Dardour (1998) démontre même que les gens aiment mieux la publicité un peu manipulatrice et affective, affichant une atmosphère de plaisir, de bonheur par la possession de biens, plutôt que la publicité informative.

J'ai accepté de rédiger ce petit livre sur la publicité. Ce projet me stimulait parce qu'il me donnait la chance d'adopter un point de vue critique sur le métier que je pratique et enseigne depuis 40 ans. Des personnes de mon entourage m'ont fait une mise en garde : « N'es-tu pas en train de mordre la main qui t'a nourri ? » « Il faut bien mordre cette main, me suis-je dit, si on se rend compte un jour qu'elle nous gave de poison. »

En fait, ce que j'espère, c'est que mon propos mette la puce à l'oreille pour que les jeunes se rendent compte que la publicité peut exercer sur eux une fascination néfaste ; j'espère susciter chez eux une réflexion qui les amènera éventuellement à démasquer les ruses publicitaires. Et chez les jeunes qui la conçoivent, à créer de meilleures publicités, à faire jouer un rôle plus social à la publicité. J'espère amener ceux-ci à questionner une originalité qui joue constamment sur les marges du mensonge ; j'espère les inciter à exercer leur métier de manière à édifier une société globalement meilleure — non seulement meilleure pour les puissants et les riches qui les paient.

En attendant, défendons-nous comme Michel Rivard le fait dans sa chanson :

« *Cher monsieur le marchand de bonheur*

Vous n'êtes pas méchant, juste un peu menteur

Comme tous les marchands, comme tous les vendeurs

Vous voulez votre argent, moi je veux mon bonheur [...]

Arrêtez de m'faire croire que c'est ma vie qui vous tient à cœur. »

La publicité joue inlassablement sur les tendances, cette nourriture quotidienne des médias de masse. Or, le philosophe Alexis Klimov (1986), dans son livre *Terrorisme et beauté*, écrit : « Derrière ses audaces apparentes, [la mode] ne fait que déguiser l'impuissance à vivre en une valorisation de l'éphémère. » L'art publicitaire nourrit cette « impuissance à vivre ». Il se dépense chaque année au Canada près de treize milliards de dollars en publicité massmédiatique, sans parler des emballages et autres formes de persuasion commerciale. Cela équivaut à quelque chose comme 450 $ par année et par personne, y compris les enfants ; si on y ajoute les autres formes de communication persuasive, cela totalise sans doute près de 1 000 $ par personne.

La publicité est un phénomène de culture important. De *notre* culture. Dans *De chair et de métal*, le professeur Ollivier Dyens (2000) définit ainsi la culture : « Toute trace, tout signe laissé dans l'environnement par un être vivant (aussi bien un nid qu'un chemin, une peinture ou un parfum) ; toute information qui peut se reproduire et se disséminer sans utiliser directement la voie génétique (un livre, un chant, des mythes, un vol d'oiseau en formation, etc.). » Or la publicité répand à une vitesse folle une culture de masse parce qu'elle s'appuie au premier chef sur les moyens de diffusion de masse que sont la télévision, la radio ou Internet. Compte tenu de sa nature éphémère, force est de conclure que la publicité produit une masse importante de déchets culturels...

J'ai divisé mon propos en cinq parties principales :

- dans la première partie, « De la communication au viol des foules », je distingue les différentes formes de communication, dont la publicité ;
- dans la deuxième partie, « D'où vient la publicité », j'expose la conjoncture qui a permis à la publicité d'émerger, puis à la publicité québécoise de se distinguer ;
- dans la troisième partie, « La persuasion clandestine », j'explique comment se fait la publicité, quels sont ses procédés fondamentaux ;
- dans la quatrième partie, « La publicité et ses aboutissements », je dénonce quelques prétendus résultats de la publicité dont certains ne sont que d'additionnels mythes urbains ;
- et j'en arriverai à un épilogue, « La publicité, déchet culturel », dans lequel j'évoque des idées qui nous ramènent au titre même du présent livre.

1

De la communication au viol des foules

La publicité est la forme persuasive de la communication de masse, particulièrement quand l'activité concerne la promotion de biens ou de services. Elle n'en est cependant pas la meilleure forme ; la communication interpersonnelle est plus efficace : chacun des interlocuteurs peut adapter son discours à celui de l'autre, en temps réel comme on dit. J'ai l'habitude dire que la publicité est plutôt la plus mauvaise forme de communication persuasive ; si on recourt à la publicité pour persuader, c'est simplement que la publicité est plus économique quand on veut s'adresser à « des masses » de gens.

D'un certain point de vue, la publicité n'est même pas de la communication. Peut-on dire qu'une personne communique avec une autre quand elle soliloque, qu'elle ne prend pas en considération le point de vue de l'autre ? La publicité *diffuse* des messages. Si le publicitaire se préoccupe de *feedback*, c'est à retardement ; il corrige alors ses messages pour les diffuser à nouveau. La publicité n'est-elle pas alors plutôt de l'information ?

Posons alors la question : Qu'est-ce que la communication ? En quoi diffère-t-elle de l'information ? Dans le langage quotidien, ces mots sont pris l'un pour l'autre. Les universitaires, eux, entichés de taxonomie, font la différence, si bien que l'Université Laval a cru bon de baptiser son département de la double appellation « d'information et de communication ». Est-ce là recourir à des subtilités qui échappent au commun des mortels ?

Cette question posée, une autre se profile à l'horizon : communiquer, est-ce si différent de persuader ? Toute communication ne glisse-t-elle pas vers la persuasion ? L'enseignant ne veut-il pas persuader ses étudiants que ses propres valeurs sont les « bonnes valeurs » ? L'avocat ne veut-il pas persuader le jury que son client est innocent ? Le politicien ne veut-il pas persuader les citoyens que son programme est le meilleur ? Le jeune prétendant ne veut-il pas persuader sa belle qu'il est le chevalier blanc dont elle rêve ? Chacun veut bien « transmettre de l'information », mais chacun prend bien soin de l'enrober dans une forme persuasive. Poussant ses tactiques persuasives à leur limite, la publicité est devenue une sorte de « viol des foules », selon l'expression de Tchakhotine (*Le viol des foules par la propagande politique*, 1939).

Mais, d'abord, distinguons l'information de la communication, puis de la « persuasion de masse ».

L'information expose des faits

Rappelons-nous que le mot « information » vient du verbe latin *in-formare*, qui veut dire « mettre en forme ». Bien sûr, on peut vouloir mettre en forme (dans le sens de mettre en boîte) les destinataires de l'information ; mais le sens d'informer se rapporte davantage au contenu plutôt qu'aux destinataires : quand on informe, on donne une forme transmissible à la connaissance que l'on a de faits, ou à l'opinion que l'on s'est faite d'un ensemble de faits. Dans ce dernier cas, les anglophones prétendent faire de l'*information processing* : ils traitent l'information quoique... il semble que l'on laisse de plus en plus aux machines la tâche de traiter l'information ; en effet, quand on parle aujourd'hui d'*information processing*, on pense davantage à l'informatique, à une mise en forme par l'ordinateur.

Dans la vie courante, les gens associent plutôt l'information à ce qui provient des médias de masse. L'importance de cette information va croissant depuis le début du siècle. Déjà en 1974, Mousseau évalue à 20 millions de mots la production quotidienne des seuls chercheurs ; cela équivaut à l'ensemble des textes scientifiques produits avant 1960 (*Psychologie*, nº 57). Dans les sociétés libres, l'information est à tel point importante qu'on finit par parler du journalisme comme du « quatrième pouvoir » selon l'expression du journalisteéditeur Jean-Louis Servan-Schreiber (*Le Pouvoir d'informer*, 1972) — après les trois pouvoirs habituellement distincts dans les pays avancés, les pouvoirs législatif (l'Assemblée nationale), exécutif (le conseil des ministres) et judiciaire (les tribunaux indépendants). « Depuis quelque temps, toutefois, écrit Ignacio Ramonet, rédacteur en chef du *Monde diplomatique*, de plus en plus de gens constatent que les journaux (rachetés pour la plupart par de grands groupes industriels devenus eux-mêmes des acteurs centraux de la vie publique) se sont ralliés aux thèses de l'idéologie dominante et que de nombreux journalistes défendent, non sans ruse, les intérêts des catégories les plus favorisées » (février 1998).

Il ne faut cependant pas oublier que l'information ne nous parvient pas seulement des journalistes, mais aussi des personnes de notre entourage, des livres que nous lisons, des banques de données que nous consultons. De même que de la publicité ou du cinéma qui nous imbibent de leurs valeurs.

La science s'est intéressée à l'information au moment où l'on a compris que l'information pouvait aussi devenir une arme de guerre. C'est le mathématicien Claude Shannon, des Laboratoires Bell, qui a modélisé la « théorie mathématique de l'information ». Shannon a établi qu'il y a d'autant plus d'information dans un message que celui-ci réduit l'incertitude. Ce modèle permet donc de comptabiliser l'information contenue dans un message ; ce sont les célèbres *bits* que le monde connaît désormais en informatique. Prolongeant l'idée de son professeur au Massachusetts Institute of Technology (MIT), le mathématicien prodige Norbert Wiener, Shannon a travaillé, par exemple, sur la reconstruction automatique des messages déconstruits par le bruit ambiant ; ce qui a produit une percée fulgurante dans le domaine du décryptage militaire. On peut ajouter que, dans la vie courante, il y a d'autant plus d'information dans un message que son contenu est imprévisible ; s'il est imprévisible, c'est que le nombre des possibles était énorme... et qu'il réduit d'autant plus l'incertitude.

Petit à petit, l'information est devenue, dans diverses disciplines, le point de vue dominant — le paradigme, comme disent les savants — pour examiner divers phénomènes. Physique, biologie, linguistique, informatique, électronique, gestion, sociologie sont toutes des disciplines qui font également appel à la théorie de l'information pour expliquer le fonctionnement des systèmes complexes.

Dans le monde du marketing et de la publicité, on découvre que les entreprises, poussées par la pression des activistes du « consommateurisme », donnent de plus en plus d'information objective sur leurs produits. Une étude réalisée par l'Institut national de la nutrition et Santé Canada révélait en 1999 que près de 71 % des consommateurs consultent l'étiquette nutritionnelle sur l'emballage des aliments. Cette information n'est cependant ni complète ni obligatoire au titre de la loi ; aussi, près de 50 % des produits ne portent aucun renseignement de ce type. De toute manière, comme on le verra, ce n'est pas cette approche informationnelle que privilégie la publicité.

La communication établit des relations

Par ailleurs, aussitôt qu'il détient de l'information, l'être humain est porté à la partager. Il veut enrichir l'opinion des autres de la sienne, il veut obtenir du *feedback* sur la sienne. L'Homme est un *homo communicans*, un communicateur-né. La communication lui sort par les pores de la peau : ses mimiques, ses gestes, les habits qu'il porte, le vocabulaire qu'il utilise, le ton de sa voix, les aliments qu'il préfère, la musique qu'il joue, les véhicules qu'il utilise, la maison qu'il habite, *tout* lui sert à émettre des messages, à communiquer avec les autres, à préciser le groupe social auquel il appartient, à afficher sa puissance, sa richesse, son orientation sexuelle, son origine ethnique, ainsi de suite.

Abraham Moles et Claude Zeltmann (1971) définissent la communication en ces mots : « L'action de faire participer un individu, situé à une époque et à un point donnés, aux expériences stimuli de l'environnement d'un autre individu situé à une autre époque, en un autre lieu, en utilisant les éléments de connaissances qu'ils ont en commun. » Voilà les mots clés : « éléments qu'ils ont en commun ». Ce que les humains ont en commun, c'est la langue, parfois transcrite en écriture, en images, ou, comme Desmond Morris (1968) l'a bien montré dans *Le Singe nu*, une foule d'autres « systèmes de signes » dont les deux parties ont convenu de manière tacite ou explicite.

À la fin du siècle dernier, les sciences sociales prennent leur envol en se détachant de la philosophie. La sociologie, la psychologie, puis l'anthropologie, l'économique, la politologie, ainsi de suite, deviennent des branches des sciences humaines. La communication de masse est elle-même une enfant de la psychologie sociale. Désormais, la communication constitue une discipline à part entière ; elle est étudiée dans des centres de recherche surspécialisés.

Or, depuis les années vingt, ce sont des dizaines d'approches qui ont été proposées pour examiner comment les hommes communiquent entre eux, et comment on peut fourbir ses outils pour mieux communiquer. On peut dire que la communication n'est pas seulement une discipline (avec ses modèles et ses méthodes) mais que c'est encore davantage un point de vue particulier adopté par un grand nombre d'analystes contemporains. Et ce point de vue envahit peu à peu tous les champs (ou peu s'en faut) de la connaissance. En effet, les psychologues ont recours à la communication pour mettre au point des thérapies (individuelles, familiales, de groupe), les sociologues pour expliquer comment les attitudes et les comportements sont transmis d'une génération à l'autre, les politologues pour montrer comment elle maintient un ordre social (ou est près de le faire éclater), les économistes pour dévoiler comment les biens circulent, ainsi de suite. Lawrence Frank donne encore plus d'ampleur au concept : il affirme que l'univers entier peut être considéré comme une imbrication de messages destinés chacun à une cible ou un groupe de cibles particulières. Il écrit : « La signification de cet énoncé devient claire lorsque nous reconnaissons que tout ce qui existe et se produit dans le monde, tous les objets et les événements, tous les organismes végétaux et animaux, émettent presque continuellement leur signal d'identification caractéristique. Ainsi, le monde résonne de tous ces messages divers, vacarme cosmique, engendré par la transformation de l'énergie et sa transmission à partir de chaque être et de chaque événement » (*Signe, image, symbole*, 1965).

Selon Marshall McLuhan, « le médium est *le message », laissant entendre par là que les médias (surtout électroniques) influencent notre façon de penser.*

L'explication communicationnelle est pertinente pour ce qui est des relations d'individu à individu ; elle l'est aussi pour ce qui est des éléments constitutifs de l'individu. Celui-ci ne peut se conserver comme entité qu'en assurant l'homéostasie idéale des diverses parties du tout : et cela se réalise grâce aux myriades de signaux qui voyagent de cellule à cellule, d'organe à organe. Un être humain ne continue d'exister que parce que tous ces messages s'échangent. C'est vrai pour les organismes vivants complexes, ça l'est encore au niveau de la cellule, ça l'est toujours au niveau de l'atome ; ça l'est sans doute davantage au niveau des sociétés humaines. Les systèmes fonctionnent grâce à des langages convenus ; le hasard est incapable de porter la connaissance d'un cerveau humain à un autre.

Grâce à l'influence des médias de masse, le concept même de « communication » avait pris une telle ampleur au milieu du siècle que le maître canadien de la communication, Marshall McLuhan, a publié en 1968 un magistral état de la situation intitulé *Pour comprendre les média : les prolongements technologiques de l'homme*, ouvrage qui a obtenu un succès considérable. Selon lui, « le médium *est* le message », laissant entendre par là que les médias (particulièrement électroniques) influencent notre façon de penser, en arts, en sciences, aussi bien qu'en théologie. Il avait annoncé la mort du livre (!) et prévu que le monde se ratatinerait jusqu'à devenir un « village global ». Eh bien, quoique le livre ne soit pas encore mort, nous sommes déjà parvenus au village global : nous communiquons par le réseau des réseaux : Internet ; les entrepreneurs visent les marchés mondiaux, les groupes d'intérêt ou de production rassemblent des individus de n'importe où dans le monde.

Désormais, la technologie permet à tous et chacun d'atteindre instantanément son vis-à-vis où qu'il soit sur la Terre. Le cellulaire, Internet, le Global Positioning System (GPS) permettent aux humains de se repérer, de se contacter. Mais une question demeure : savent-ils davantage communiquer ?

La persuasion de masse génère des moutons

Quand les humains communiquent entre eux, ils cherchent souvent à persuader. Quand les producteurs de biens utilisent les médias de masse pour entrer en communication avec les consommateurs, ils cherchent de toute évidence à persuader plutôt qu'à communiquer. Au cours des années, la recherche universitaire a accumulé beaucoup de connaissances relatives au fonctionnement de la persuasion. Beaucoup de ces connaissances sont récupérées à des fins utilitaires par les profiteurs de tout acabit, marchands, politiciens et autres manipulateurs. Mais ces données sont pour la plupart privées parce qu'elles sont commandées par les grandes entreprises ou produites par des sociétés de recherche commerciales ; celles-ci font ce que les savants nomment de la « recherche sociale appliquée ». Les données colligées ne sont donc pas accessibles au grand public ; certaines le sont mais à des coûts prohibitifs pour le commun des mortels. Seules les grandes entreprises ont les moyens de s'abonner aux banques de données que sont NadBank pour les quotidiens, ou le Canadian Advertising Rates and Data (CARD). Parfois, des chercheurs universitaires se dévouent (!) à cette tâche de « dévoilement » : ils publient une partie des résultats dans le *Journal of Marketing Research* ou le *Journal of Advertising Research*. Je dis parfois parce que, pour pouvoir obtenir leurs budgets de recherche des grandes entreprises, presque tous ont signé des clauses de confidentialité. Les grands annonceurs sont sans doute les plus grands investisseurs en recherche publicitaire. Marshall McLuhan (1968) rappelait au début des années soixante : « Il n'y a pas d'équipe de sociologues capable de rivaliser avec les équipes publicitaires dans la recherche et l'utilisation de données sociales exploitables. » Or l'immense majorité des données amassées en recherche publicitaire sont secrètes et ne sont accessibles qu'aux commanditaires. Les aspects de la recherche sociale les plus fouillés sont ainsi les moins connus... des chercheurs eux-mêmes. Situation absurde ! Non ?

La communication persuasive [...] est une communication mise au point par des persuadeurs professionnels, payés par de riches « émetteurs », qui diffusent vers une « masse » de personnes.

Revenons maintenant à une question fondamentale : quand la communication devient-elle persuasive ? D'un certain point de vue, toute communication est persuasive : peut-il se trouver une personne qui parlerait sans sentir le besoin que son point de vue soit accepté par son interlocuteur ? Les publicitaires cherchent-ils à persuader ? Ou à convaincre ? On dit parfois que persuader c'est toucher le cœur, alors que convaincre, c'est s'adresser à la raison. Les publicitaires jouent le plus souvent sur ces deux registres à la fois.

Or les publicitaires ne sont plus les seuls qui cherchent à persuader ; de plus en plus de personnes étudient l'information-communication dans la perspective de savoir mieux l'utiliser... à leurs fins personnelles ou aux fins de leur organisation. C'est en 1939 que le maître-livre sur la persuasion des masses auquel j'ai fait allusion plus haut, *Le viol des foules par la propagande politique*, est publié en France par Serge Tchakhotine. Celui-ci y fait état pour la première fois de la puissance des médias pour influencer les citoyens, les faire taire, voire les asservir. Il explique que la propagande s'appuie sur les instincts primaires qu'il appelle « pulsions ». Selon lui, la persuasion tourne toujours autour de quatre pulsions de base : la pulsion combative, la pulsion alimentaire, la pulsion sexuelle et la pulsion parentale. Il démonte si bien ces mécanismes de manipulation que le ministère des Affaires étrangères... de France censure d'abord le livre sur épreuves, et que, quelques mois plus tard, l'occupant nazi le fait détruire. Heureusement, il fut réédité par Gallimard en 1952.

Le désir de contrôler à distance les citoyens par la persuasion n'est pas nouveau. Au 15e siècle, Machiavel a laissé dans *Le Prince* une théorie du gouvernement qui fait largement appel au cynisme. Il écrivait : « La foule est toujours impressionnée par l'apparence et les résultats. » Plus de 450 ans plus tard, avec son livre *Psychologie des foules*, le psychologue français Gustave Le Bon se positionne comme le scientifique de la propagande et de la publicité politique. Le livre fut traduit en allemand dès 1908 ; des chercheurs font l'hypothèse que Hitler a été fortement influencé par les idées de Le Bon, ce qui a amené le Führer, une fois au pouvoir, à créer un ministère de la Propagande sous la responsabilité de Goebbels. Mais celui-ci était déjà fort impressionné par les publicitaires américains : lors de la campagne qu'il organisait en 1932 pour Hitler, il affirmait à tout venant qu'il allait recourir « aux méthodes américaines, et à l'échelle américaine ». Effectivement, comme le fait remarquer Georges Mond, « publicité et propagande sont deux sœurs jumelles » (*Les Communications de masse*, 1972). Ce sont là deux formes de communication persuasive ; l'une, politique, l'autre économique.

Robert Cialdini (1984), docteur en psychologie sociale, résume les connaissances qui expliquent le fonctionnement de la persuasion interpersonnelle dans un best-seller, *Influence*, qui s'est vendu à 250 000 exemplaires en neuf langues. À le lire, on comprend que les tactiques publicitaires jouent simplement — et la plupart du temps, intuitivement — sur les modes de fonctionnement instinctuels mis à jour par la psychologie sociale. Ainsi, quand, dans une société, beaucoup de personnes se comportent d'une façon donnée, il devient admis que c'est « la bonne » façon de se comporter. C'est pourquoi on

Publicité électorale

Les publicitaires ont pris le chemin des* hustings *dans les années soixante. On trouve ici un exemple de la publicité diffusée lors de la campagne électorale de 1960. On voit que cette annonce a été pensée par un rédacteur car le texte joue le premier rôle. Nous savons aujourd'hui, à la suite d'une enquête de l'Organisation de coopération et de développement économiques (OCDE) (*L'Illétrisme*, 1997) que plus de 40 % de la population est « analphabète fonctionnelle » ; aussi, peu de publicitaires se risqueraient aujourd'hui à diffuser une annonce avec un texte aussi long.

trouve, en publicité, des slogans comme : « Tout le monde le fait... faites-le donc ! », « Ces vedettes l'utilisent, faites de même ! », ou « Plus 100 000 acheteurs sont satisfaits, vous le serez ! » Cialdini rappelle ailleurs que, dans toute société, ce qui est rare prend de la valeur ; ainsi, la recherche a démontré que, dans les bars, les personnes deviennent de plus en plus séduisantes pour les autres à mesure que la soirée avance. La même motivation est titillée artificiellement par la publicité quand elle affirme : « Achetez pendant qu'il en reste ! » ou « Quantités limitées ! »

Les psychosociologues ont étudié surtout la persuasion interpersonnelle. La communication persuasive à laquelle nous pensons dans le présent propos est une communication mise au point par des persuadeurs professionnels, payés par de riches « émetteurs », qui diffusent vers une « masse » de personnes. Persuasion de masse donc, et sans rétroaction immédiate comme c'est le cas dans une discussion en tête-à-tête... Quoique les nouvelles technologies, elles, permettent une rétroaction immédiate : une caractéristique d'Internet est justement l'interactivité.

Le publicitaire devant recourir à « la plus mauvaise forme de communication persuasive », s'adressant à des masses de personnes indifférenciées, il lui est bien plus difficile d'arriver à ses fins que dans une communication de personne à personne. Dans ce dernier cas, grâce à ses onomatopées, ses mimiques, ses réparties, l'interlocuteur évalue au fur et à mesure la réaction de son vis-à-vis et modifie en continu son argumentation. Mais quand il doit s'adresser à des milliers, voire à des millions de destinataires, il doit obligatoirement recourir à la publicité. Ainsi, s'il doit persuader les buveurs de boissons pétillantes que « Coke est OK », comme ces buveurs constituent une large partie de la population, il misera sur la publicité. Mais, s'il doit vanter de grosses Mercedes, il recourra davantage à l'envoi postal nommément — ou au démarchage de personne à personne. C'est pour cette raison que, bien que les grandes agences de publicité croient de toute évidence à l'efficacité de la publicité, le grand public ne voit pratiquement jamais de publicité diffusée pour elles-mêmes ; c'est que leur public cible n'est pas le grand public.

Les médias de masse constituent donc un passage obligé pour la publicité des produits de masse. Mais les nouvelles technologies permettent de rassembler de plus en plus d'informations sur les individus, si bien qu'à terme les marketers de tout acabit espèrent pouvoir cibler de manière de plus en plus pointue les consommateurs, ce qui permettra de raffiner les messages pour qu'ils se rapprochent de plus en plus de la communication interpersonnelle.

Mais, pour le moment, évoquons rapidement deux dérives de la persuasion de masse auxquelles les publicitaires ne sont pas étrangers : la propagande et l'imagerie politique.

Propagande, désinformation et intoxication

La persuasion n'est pas exclusive aux publicitaires. Vladimir Volkoff (1999) affirme dans *Petite Histoire de la désinformation* : « La façon la plus simple d'exposer une opération de désinformation, c'est de la comparer à une opération de publicité, avec toutefois cette différence : la publicité obéit [...] à la "simple prédestination" (certains hommes sont prédestinés au salut : telle lessive lave plus blanc), tandis que les opérations de désinformation obéissent au principe de la "double prédestination" (certains hommes sont prédestinés au salut, d'autres à la damnation : le communisme, c'est bien ; le capitalisme, c'est mal). » En réalité, de plus en plus de gouvernements tendent à assurer leur pouvoir grâce à la collecte d'information, à son traitement, et à sa manipulation ; ainsi, les sondages sont de plus en plus prisés par les décideurs, sans parler des services de renseignements plus ou moins occultes.

La propagande prend parfois des formes proches de la malhonnêteté quand on en vient à faire de la désinformation ou de l'intoxication pour arriver plus sûrement à ses fins. Quel crime n'a-t-il pas été commis pour « raison d'état » ! C'est pourquoi les médias de masse — voire, le grand public — propagent l'idée que plusieurs grands événements politiques sont le résultat de puissances occultes. John Kennedy a-t-il été assassiné selon le projet isolé de cet homme seul, Lee Harvey Oswald ? Ou n'est-ce pas l'objectif d'une conjuration plus étendue ? Il ne faut toutefois pas tomber dans les « légendes urbaines » du type « les pays ennemis du Moyen-Orient envoient des étudiants dans nos facultés de science pour poursuivre des recherches sur la guerre biologique », ou « des gouvernements nous espionnent en cachant des caméras dans nos téléviseurs ».

Mais les services d'information de la plupart des gouvernements, de manière cachée ou ouverte, font indéniablement de la propagande ; ils le font en contrôlant l'accès à l'information, en diffusant de l'information tendancieuse, voire en entreprenant des actions qui appuient leur politique : la Chine contrôle l'accès à Internet ; il est de notoriété publique que le gouvernement socialiste d'Allende a été renversé grâce aux activités de la Central Intelligence Agency américaine (CIA) ; la crise d'Octobre 1970 a permis au gouvernement fédéral de Pierre Elliott Trudeau de mâter le Québec en répandant dans les médias l'idée « d'insurrection appréhendée » pour promulguer la Loi sur les mesures de guerre et emprisonner 500 leaders nationalistes québécois. Certaines de ces actions produisent par ricochet un effet de *backlash*. On peut se rappeler les deux cas célèbres du *Rainbow Warrior* et du poivre de Cayenne.

Le *Rainbow Warrior* est un rafiot que le mouvement écologiste Green Peace avait décidé de placer, en 1985, sur le lieu des essais nucléaires de la France dans les îles du Pacifique pour empêcher ce pays de poursuivre ses essais. Le bateau coule dans le port d'Auckland à la suite de l'explosion de mines. La presse mondiale découvre que cet acte de piratage a été réalisé par les services secrets français dans le dessein d'empêcher le bateau de parvenir sur le lieu des essais.

Cette expertise de « l'intelligence » est désormais transposée dans le domaine économique où l'espionnage industriel prend une ampleur inimaginable.

En septembre 1998, un groupe manifeste pacifiquement à Vancouver contre la visite de l'ex-président despote Suharto d'Indonésie. La Gendarmerie royale du Canada (GRC) les disperse en recourant à du poivre de Cayenne, un jet de gaz incapacitant. On découvre que cette intervention est faite à la suite des pressions du bureau du premier ministre Jean Chrétien qui veut éviter des scènes désagréables à un ami. Même le nom donné au gaz par la police, « poivre de Cayenne », est le résultat d'un choix de désinformation ; de même, au Sommet des Amériques de 2001 à Québec, le mur de béton et d'acier prévu pour empêcher les manifestants de se faire entendre par les chefs d'État des 34 pays rassemblés au Centre des congrès est nommé par les autorités « périmètre de sécurité », ce qui est bien plus positif que « rempart d'isolation » ou « barrière anti-manifestants ».

On considère désormais que les gouvernements financent trois types d'actions relatives à l'information :

- l'intelligence, qui a pour but de rassembler de l'information qui permet à un pays de mener sa politique ;
- la contre-intelligence, qui permet d'empêcher les autres pays de mener leurs actions d'intelligence ;
- les actions sous couvert (comme celles d'Aukland ou de Vancouver).

La propagande n'est pas une activité nouvelle. Le mot même origine de la Congregatio de Propaganda Fide du Vatican (le bureau de la diffusion de la foi) qui a été mise sur pied en 1622. Les fidèles catholiques romains donnent un sens missionnaire à l'expression « propagation de la foi », mais chez les anti-papistes l'expression rappelle plutôt des collusions « pour raisons d'État » avec des régimes fascistes ou totalitaires.

Dans certains pays latins, on emploie comme synonyme de publicité le terme « propagande commerciale » (ou son équivalent dans la langue locale). Suite à un pamphlet de Lénine de 1902, les jeunes communistes emploient le terme « agit-prop » : la propagande, c'est le débat rationnel avec les gens instruits ; l'agitation, c'est le recours aux slogans et aux demi-vérités pour soulever les masses populaires.

Une telle propagande prend parfois l'ampleur d'une véritable guerre, fût-elle psychologique (*psychwar*, disent les anglophones) ; elle exige des budgets comparables à la guerre de métal, cette guerre servant à décourager l'ennemi et à soutenir le moral de son propre camp. La Guerre froide qui a duré 50 ans entre les pays de l'OTAN (dont le Canada) et le Bloc communiste a nécessité des fonds astronomiques pour soutenir les groupes de pression, déclencher des manifestations « populaires », financer des chaînes de radio multilingues, ainsi de suite.

Cette expertise de « l'intelligence » est désormais transposée dans le domaine économique où l'espionnage industriel prend une ampleur inimaginable ; la veille technologique se poursuit au-delà des continents, dans un chassé-croisé de satellites, de micros directionnels et de jumelles à l'infrarouge (voir *L'Infoguerre*, 1999).

Tout cela, c'est sans parler de la désinformation diffusée par les médias. Les firmes de relations publiques, les publicitaires et les décideurs forment désormais équipe pour réaliser des opérations d'intoxication-désinformation ; on essaye, par exemple, de désarçonner l'adversaire en affirmant qu'un produit concurrentiel est sur le point d'être lancé (alors qu'il en est encore à l'état d'ébauche), ou simplement en répétant que tel produit est un cheval gagnant. Jean Guisnel (1995) raconte dans *Guerre dans le cyberespace* ce qui semble constituer la première bataille de désinformation sur Internet : Boeing noyaute les groupes de discussion où se rencontrent les amateurs d'aéronautique et y diffuse de l'information qui discrédite son rival européen, Airbus.

La propagande va parfois jusqu'au « lavage de cerveau » (la « rééducation », dit-on aussi) comme on l'a fait sur les pilotes d'avion américains descendus au-dessus du Viêt-nam, sur les opposants politiques dans les hôpitaux psychiatriques soviétiques, ou sur les otages enlevés par certains groupes terroristes.

Mais, le plus souvent, la propagande s'exerce sur une large échelle au vu et au su de tous. Chantal Hébert, columnist au *Toronto Star*, en révélait un exemple : « [Le gouvernement] d'Ottawa s'est recyclé dans les festivals de tout acabit, dépensant pour réaliser ce projet 20 fois plus d'argent en sol québécois que dans tout l'Ouest canadien. Depuis deux ans, le Québec a reçu 71 % de l'argent fédéral dépensé en commandite de festivals, un "favoritisme" que des ténors d'Ottawa justifient en affirmant qu'on cultive ainsi l'attachement des Québécois au Canada » (*Le Devoir*, 6 juin, 2000). Le gouvernement fédéral dispose pour sa communication des services de plus d'agences de publicité que tout autre entreprise au Canada, quelle que soit sa grosseur : il y a quinze ans, il y avait déjà quinze agences sous contrat (dans Benjamin Singer, *Advertising & Society*, 1986). Dans le monde du pouvoir, comme l'écrit Volkoff, « la distinction entre publicité et désinformation devient subtile et passe par les fins politiques ».

Parfois, le même genre d'activité se fait sur un mode camouflé. Ainsi les « Minutes du patrimoine » diffusées en 2000 sur les réseaux de télévision canadiens sont supposément financées par une fondation de la richissime famille Bronfman, la Fondation CRB. Or, on ne sait plus s'il s'agit ici de journalisme ou de publicité : ces minutes sont vendues par le réseau de télévision RDI comme de la publicité alors qu'elles ont été classées par le CRTC comme des « dramatiques » — et par Radio-Canada comme une émission de commentaire et d'analyse. Ces « minutes » sont en fait de la propagande fédéraliste (le gouvernement fédéral a subventionné la Fondation CRB pour sept millions de dollars) déguisée cette fois-ci en publicité pour passer les barrages réglementaires. Le journaliste Normand Lester, qui était affecté depuis 10 ans au service des nouvelles de Radio-Canada comme « journaliste-enquêteur » et qui enquêtait sur ces accointances, a été démis de ses fonctions à la suite de ces révélations (le président de Radio-Canada, Robert Rabinovitch, est aussi, par hasard, trésorier d'une fondation Bronfman qui loge à la même adresse que la Fondation CRB) (*Le Devoir*, 6 juin 2000). Bref, de nos jours, la communication persuasive se pare de toutes les défroques.

L'imagerie politique

Les humains sont facilement impressionnés par l'apparence, comme l'avait remarqué Machiavel. Cialdini désigne l'apparence comme une des grandes forces de persuasion mises au jour par la psychologie sociale. « L'habit fait le moine », reconnaît l'adage populaire. C'est ainsi que les chefs religieux, pour en imposer à leurs ouailles, revêtent toujours des vêtements hors du commun : le pape porte une robe blanche et un chapeau bizarre (la tiare) qui augmente sa taille ; le dalaï-lama porte des couleurs difficiles à obtenir (un orange cadmium et un violet intense) ; les popes se promènent en robe noire avec un haut chapeau cylindrique. Les chefs se pavanent toujours avec des signes de leur puissance : objets rares, vêtements distinctifs, symboles d'autorité reconnus (le sceptre et la couronne d'Élisabeth II), ainsi de suite.

Les chefs politiques jouent le même jeu : les petits potentats se promènent dans des uniformes galonnés, piquetés de médailles, barrés de bandoulières. Si dans les populations traditionnelles le griffe de tigre ou la plume d'aigle affirmaient cette puissance, dans les pays modernes, ce sont la Mercedes et le vêtement « griffé » qui jouent le même rôle. C'est ainsi que les chefs recourent de plus en plus aux publicitaires et autres relationnistes pour façonner leur image dans la tête de leurs commettants ; on appelle ces spécialistes de la communication politique des « faiseurs d'image ». Ces « faiseurs » n'ont pas le pouvoir de faire les chefs, mais seulement d'appuyer le charisme naturel par le moyen des médias.

Cette tendance à faire appel à des spécialistes de l'image s'est manifestée au début des années 1960. Le jeune président américain, John Kennedy, en a profité, de même que le premier ministre de la Révolution tranquille, Jean Lesage. Ce dernier fit appel à Maurice Leroux qui était réalisateur à Radio-Canada ; pendant les cinq premières années du règne de Jean Lesage, Leroux fut son conseiller en imagerie politique. On rapporte que Leroux exigeait trois heures de répétition pour chaque quinze minutes de télévision. En 1962, l'adversaire de Lesage, Daniel Johnson, fit appel à un publicitaire cette fois : Gabriel Lalande de l'agence de publicité Young and Rubicam.

Des équipes multidisciplinaires de communicateurs [...] conseillent les chefs politiques : publicitaires, politologues, relationnistes et partisans.

En 1969, un journaliste pose sa candidature pour le Parti libéral. C'est Pierre Laporte, en mémoire de qui on a ainsi nommé le pont après son exécution en 1970 par les jeunes du FLQ des événements d'octobre. Laporte n'y alla pas avec le dos de la cuillère : il confia son image à Joseph Napolitan Associates de Washington. Alors que Laporte est connu surtout des chroniqueurs parlementaires, ses consultants lui recommandent d'annoncer sa candidature aux journalistes de chiens écrasés et à partir de son sous-sol de Brossard. Et de teindre ses tempes trop grises.

Quant à René Lévesque, Jacques Benjamin (1975) rapporte dans son livre *Comment on fabrique un Premier ministre québécois* que « son image de Don Quichotte [...] dérangeait un peu trop ». Lors de la campagne de 1973, ses conseillers en image le convainquent d'utiliser une photo officielle où il est détendu, souriant, et... d'abandonner son inséparable cigarette. Et ils complotent en vue de l'encadrer pour l'empêcher d'apparaître en public en habit froissé, décoiffé et de mauvaise humeur (comme il était dans sa vie privée).

En 1981, le président socialiste de la France, François Mitterrand, se fait élire avec la collaboration d'un publicitaire hautement médiatique, Jacques Séguéla ; celui-ci décide de combattre l'image de « révolutionnaire de gauche » (associée aux communistes) du candidat en le présentant dans la publicité devant un paysage bucolique où pointe le clocher d'un petite église, et avec le slogan : « La force tranquille ». Mitterrand ne sera plus, pour le Français moyen, un « socialiste » ; il aura été changé en grand-papa gâteau.

Les faiseurs d'image protègent depuis toujours les grands de ce monde ; il y a toujours eu des éminences grises dans l'entourage des puissants. Ceux-ci sont toujours là pour présenter les bonnes nouvelles, mais ils délèguent des boucs émissaires quand il leur faut faire avaler une pilule amère : en 1998, tout le monde voit patiner les « porte-parole de la Maison-Blanche » devant les caméras de la télévision qui s'acharnent à déchirer à coups de lentille le caleçon du président américain Bill Clinton.

De nos jours, ce sont des équipes multidisciplinaires de communicateurs qui conseillent les chefs politiques : publicitaires, politologues, relationnistes et partisans. Les faiseurs d'image sont des hydres à sept têtes. Et cela fonctionne : les foules sont crédules, la majorité silencieuse est... silencieuse. Le politologue Jacques Benjamin (1975) résume : « L'apparence physique l'emporte sur le contenu des programmes gouvernementaux. »

On connaît l'épisode rabelaisien du « mouton de Panurge » ; celui-ci, à la suite de sa discussion avec un marchand, jette à la mer un mouton qui entraîne à sa suite tous les autres... suivis du marchand lui-même. Les « gens ordinaires » ont besoin de chefs qui décident pour eux, de chefs qui leur indiquent le chemin, de chefs qu'ils sont prêts à suivre... éventuellement jusqu'en enfer. En Amérique, les 800 adeptes du pasteur Jim Jones boivent en Guyane la boisson mortelle en toute connaissance de cause, parce que leur leader charismatique le leur demande ; en Orient, appuyés qu'ils sont par une propagande omniprésente, les citoyens, ameutés par les Khmers rouges du Cambodgien Pol Pot, font disparaître quelques millions de concitoyens simplement parce qu'ils n'ont pas la même opinion politique qu'eux ; en Europe, gonflés à bloc par la propagande multiforme de Goebbels, les troupes d'élite du chancelier fou, Adolf Hitler, enfournent dans les crématoriums cinq ou six millions d'artistes, de scientifiques, de professeurs, de religieux, de politiques, d'industriels, pourtant tous citoyens à part entière de pays modernes que sont l'Allemagne, l'Autriche, la Pologne, la Hongrie, la France...

Survient-il une personne charismatique, crédible, la foule se précipite sur elle pour en faire son chef. Les nationalistes ont leur René Lévesque, et les fédéralistes leur Pierre Elliott Trudeau. Peut-on imaginer la Révolution bolchevique sans le charismatique Lénine, la Révolution culturelle sans Mao, ou l'Iran intégriste sans l'ayatollah Khomeyni ? Les publicitaires et les autres persuadeurs ne font que reprendre inlassablement les idées de ces chefs pour les répéter par tous les moyens de diffusion de masse.

Zolton Ferency, candidat démocrate au poste de gouverneur du Michigan en 1970, expliquait comment les stratèges de la communication ont aujourd'hui une importance primordiale : « [Une fois connues les attitudes des voteurs], on façonne une image du candidat qui répond aux désirs des voteurs, puis cette image est vendue par un investissement massif en publicité, particulièrement en télévision. La personnalité du candidat a relativement peu d'importance ; l'important est de pouvoir le contrôler. Le candidat a seulement besoin d'être assez intelligent pour savoir jouer avec le matériel qui lui est fourni. Mais pas trop intelligent non plus, car on court toujours le danger qu'un candidat intelligent, ayant des idées qui pourraient s'avérer impopulaires, puisse ainsi détruire une stratégie de campagne entière » (« Propagande », *Encyclopaedia Britannica*).

Ferency est un peu cynique. René Lévesque et le Parti québécois ont été élus en 1976 par leurs idées et contre les puissances de l'argent. Mais il est vrai que l'argent publicitaire peut parfois faire des miracles : en 1996, tous les analystes considérent que Boris Ieltsine est fini, qu'il ne peut plus être reconnu comme le chef de la Russie ; alors Ieltsine nomme un chef de campagne qui met à contribution six puissants financiers et chefs de médias qui investissent des millions en publicité et en relations publiques pour lui assurer une place privilégiée à la télévision et dans les journaux. Ieltsine fait le clown devant les caméras ; sa publicité fait peur en évoquant l'avenir de ses adversaires (images d'enfants affamés et d'églises détruites... comme lors de la Révolution de 1917). Et, contre toute attente, il est élu. Les faiseurs d'image ont encore un bel avenir devant eux.

Robert Spero (1980) a analysé les campagnes de publicité des politiciens américains des années 1960-1970. Dans *The Duping of the American Voter*, il porte un jugement sévère sur leur honnêteté : ce sont les campagnes de publicité les plus « trompeuses et les plus mensongères de toutes les publicités ».

La cristallisation symbolique au service du politique

Les grands mouvements politiques ont toujours soulevé la créativité des artistes authentiques ; c'est ainsi que la Révolution russe de 1917 a suscité Lissitzky et le Constructivisme.

On trouve ici une affiche anonyme qui a été largement diffusée au Québec au plus fort du sentiment nationaliste de notre Révolution tranquille, vers 1975. C'est une affiche fortement structurée, rassemblant tous les iconèmes nécessaires pour passer le message « il faut arrêter le bras d'Ottawa qui est en train de chiffonner les droits du Québec ». Le thème-accroche est laconique, « Minute Ottawa ! », mais, accolé à l'image, il dit tout.

Mais les imagiciens (*image makers*) ont désormais pris pied dans tous les champs de la communication. Comme le résument Jackall et Hirota (2000) dans *Image Makers* : « L'époque moderne a produit un nouveau genre d'expert, l'imagicien, capable de créer et de diffuser des symboles pour amener les masses à agir ou à croire. » Pour le commun des mortels, la réalité est devenue trop complexe ; ployant sous la masse d'informations contradictoires, le citoyen ordinaire est désormais contraint à choisir entre des ersatz de réalité façonnés par les imagiciens de tout acabit.

2

D'où vient la publicité ?

La publicité est une discipline récente. Certains auteurs en font remonter l'origine jusqu'aux civilisations anciennes, mais on ne pourrait y trouver de publicité que par analogie. Est-ce que les étendards des cohortes romaines sont de la publicité ? C'est un signe de puissance impériale, mais pas de la publicité. Est-ce que les vitraux des cathédrales médiévales qui mettent en valeur les mystères chrétiens sont de la publicité ? C'est un moyen d'endoctrinement efficace, mais pas de la publicité.

Quand, sous Louis le 14e, Théophraste Renaudot aligne ses petites annonces dans son hebdomadaire *La Gazette de France*, fait-il de la publicité ? Sa *Gazette* est un moyen de diffusion (relativement) populaire, mais les petites annonces ne sont pas de la publicité au sens moderne du terme. Par contre, quand Émile de Girardin fonde *La Presse* en 1836, sans doute le premier quotidien bon marché publié en français, il y adjoint de la vraie publicité : il meuble systématiquement sa « page 4 » d'annonces, ce qui lui permet de vendre son journal la moitié du prix de ceux de ses concurrents, et qui en fait rapidement un quotidien à grand tirage... relatif : il tirait à 10 000 exemplaires !

La publicité telle qu'on l'entend aujourd'hui, c'est toute forme de persuasion de masse à visées commerciales. Mais comment est-on venu à la publicité moderne ? Nous allons examiner cela en deux temps : dans un premier temps, nous allons évoquer un certain nombre de faits qui constituent une conjoncture socio-économique qui permet à la publicité de naître ; dans un deuxième temps, nous allons faire un rapide survol historique qui permettra de comprendre comment et pourquoi la publicité québécoise se différencie du courant publicitaire dominant en Amérique du Nord.

Le moment et le lieu de naissance

Plusieurs conditions socio-économiques étaient nécessaires pour permettre à la publicité d'émerger. Pensons tout de suite à cette réalité que l'on a nommé « le progrès technique ». Le progrès technique du 18e siècle a produit des machines puissantes comme le moteur ou la presse à imprimer, et a déclenché une industrialisation galopante. Les premiers établissements de production industrielle ont été les manufactures, manufactures (faire à la main) qui nécessitaient une main-d'œuvre importante concentrée au même endroit... avec comme effet la concentration urbaine. La besoin d'une population de plus en plus alphabétisée a amené les gouvernements à passer des lois de scolarisation, ce qui forme des cohortes de lecteurs potentiels pour les nouveaux journaux à grand tirage.

Par ailleurs, l'entrepreneuriat nord-américain et la philosophie de la libre entreprise ont conduit à une productivité et une compétitivité accrues, ce qui a eu pour conséquence une offre de biens dépassant la demande. Voilà la conjoncture qui a donné naissance à la publicité moderne : des biens en surplus pour lesquels il faut susciter l'envie, des machines à imprimer qui produisent elles-mêmes des milliers d'exemplaires qui, pour pouvoir être écoulés, doivent être offerts à petit prix ; d'où l'idée de publicité qui permet de compléter le financement des journaux avec l'argent publicitaire des gens d'affaires... qui disposent de marchandises à écouler. Le cercle est alors fermé.

Mais examinons un peu plus en détail quelques-uns de ces phénomènes : l'industrialisation galopante, la concentration urbaine, les médias de masse et la surproduction industrielle.

L'industrialisation galopante

La révolution industrielle se définit comme le passage de la vie agricole traditionnelle à la société de production manufacturière. Cette transformation sociale a débuté en Angleterre vers 1760 ; déjà, vers 1840, elle avait atteint l'ensemble des pays dits développés. Le Canada n'a pas échappé à cette industrialisation : les manufactures de chaussures de Québec, les moulins à tisser du Centre-du-Québec et les brasseries de Montréal en ont été les premiers signes.

La révolution industrielle transformera dramatiquement la société québécoise. La vie quotidienne est de plus en plus dépendante de l'industrie et du commerce.

Auparavant, la production des biens était entre les mains d'artisans éparpillés un peu partout sur le territoire ; pensons aux forgerons des villages. Le nouveau mode de production, centralisé en un même endroit, a nécessité de nouveaux moyens de transport et de communication pour rassembler les marchandises et la main-d'œuvre nécessaire à leur transformation ; les riches marchands anglophones de Montréal ont donc fait pression sur les gouvernements pour qu'ils financent le creusage de canaux afin que leurs cargos puissent passer les rapides du Saint-Laurent et se rendre jusqu'au cœur de leur territoire des Grands Lacs, et ils se sont entichés rapidement du télégraphe qui longerait le chemin de fer transcontinental promis par les « pères de la Confédération » de 1867.

Cette industrialisation galopante a transformé la vie des citoyens. La société traditionnelle était autarcique ; chaque famille subvenait, pour l'essentiel, à ses propres besoins : logement, vêtements, nourriture, loisirs. Elle était conformiste : tous les membres du groupe adoptaient des valeurs communes, s'exprimaient selon des modèles de comportement communs. Elle était religieuse : les saisons et les jours étaient réglés par les fêtes religieuses ; le ciel et l'enfer s'imposaient bien davantage que l'ici et le maintenant. Bref, les Québécois du 19e siècle, et jusqu'à la Révolution tranquille, entretenaient, au sens littéral, un esprit de clocher.

La révolution industrielle transformera dramatiquement la société québécoise. La vie quotidienne est de plus en plus dépendante de l'industrie et du commerce : le sucre blanc, importé en vrac des pays

Les héros mythiques de la société traditionnelle

La Seconde Guerre mondiale entraîne le Canada dans la mêlée mais ce sont les anglophones majoritaires qui décident d'aller défendre « la mère patrie » alors que les Canadiens français s'opposent à l'enrôlement obligatoire. Le gouvernement fédéral fait alors appel à un francophone, Albert Cloutier, qui mise sur une corde sensible bien traditionnelle : « Canadiens, lit-on ici, suivez l'exemple de Dollard des Ormeaux ». Le mot « Canadiens » référait alors exclusivement aux Canadiens français, les autres Canadiens étant « les Anglais ». Et l'illustration reprend les éléments de l'iconographie que tous les jeunes Québécois avaient appris à la petite école : un jeune vaillant et 20 de ses compagnons vont au-devant des Indiens pour sauver Montréal.

chauds est mis en marché par de grandes entreprises et remplace le « sucre du pays » ; les « pichous » disparaissent au profit des chaussures produites en manufacture ; le métier à tisser cède le pas aux « moulins » qui produisent des étoffes plus fines et plus variées ; même le lait et le beurre sont désormais traités par les laiteries de village ou de région. Cette société jusqu'alors formée de voisins solidaires produira désormais des personnes individualistes : adieu la morale commune imposée par l'Église catholique romaine ! (« À chacun sa vérité » comme l'a écrit Pirandello) Adieu les corvées du village pour rentrer le foin ou reconstruire la résidence détruite par un incendie ! Chacun pourra se laisser aller à ses excès dans l'anonymat des grandes villes.

C'est au 17e siècle que les scientifiques modernes ont fait les découvertes qui ont permis de produire cette civilisation nouvelle. Le Français Lavoisier a donné le coup d'envoi à la chimie moderne, et l'Anglais Newton à la physique moderne. Le progrès scientifique et technologique qui s'ensuivit a donné des inventions qui ont transformé la civilisation, entre autres, l'acier, la machine à vapeur, le moteur à combustion interne et l'électricité.

L'acier et les connaissances en chimie ou en physique ont permis de construire les locomotives à vapeur qui démultipliaient la force humaine, ou de relier les agglomérations grâce aux ponts de fer et, éventuellement après 1875, aux ponts à longue portée comme le pont de Québec terminé en 1917 ou son cousin, le Firth of Forth, à Édimbourg en Écosse.

La machine à vapeur a permis de relier par chemin de fer l'Atlantique au Pacifique — et au brasseur et homme d'affaires montréalais John Molson de parcourir les ports du Saint-Laurent avec ses navires à vapeur.

Le moteur à explosion, inventé par l'Allemand Nikolaus Otto en 1876, a révolutionné la construction, le transport et... l'agriculture. C'est grâce à lui qu'on a pu manipuler les charges pour construire les gratte-ciel, grâce à lui que Henry Ford a pu construire son célèbre Model T économique à partir de 1908, grâce à lui que Froehlich a pu mettre au point les tracteurs capables de labourer les grandes plaines de l'Ouest.

Quant à l'électricité, le grand public considère que c'est l'invention la plus importante du siècle. Sans électricité, la petite ampoule de Thomas Edison ne nous éclairerait pas, les tramways de Montréal n'auraient pu remplacer les omnibus à cheval à partir de 1894, et le métro de Paris ne fonctionnerait pas depuis 1900. Et bien sûr, comme le savent les Montréalais depuis le Grand Verglas de 1998, le gel ne menacerait pas aussi sérieusement notre mode de vie.

Bref, c'est au moment où l'organisation industrielle permet de produire massivement que se fait sentir le besoin de vanter la consommation, tâche fondamentale de la publicité. On voit alors poindre de nouveaux concepts comme « pouvoir d'achat » ou « comportement du consommateur ».

On commence aussi à échafauder certaines théories de la motivation (à acheter) comme l'exprime le psychologue Walter Dill Scott : « L'homme n'a besoin que d'imagination pour se représenter n'importe quelle marchandise de telle sorte qu'elle devienne l'objet d'émotion [...] suscitant ainsi le désir au lieu du simple sentiment de nécessité » (*Influencing Men in Business*, 1911). Dans les années vingt, la revue de publicité *Printer's Ink* diffusait à répétition des articles pour convaincre « les vieux » que la publicité était, pour les industriels, la panacée de l'avenir. Les fabricants d'automobiles, entre autres, comprirent rapidement la force de la publicité ; c'est encore aujourd'hui le secteur d'activités qui dépense le plus (totalisant autant que l'ensemble des budgets de publicité de détail) — et General Motors est l'entreprise qui, souventes fois, dépense le plus en publicité au Canada.

La concentration urbaine

La concentration des populations dans les villes est un phénomène relativement récent. Au Moyen Âge, il n'y a pas, hors Paris, de grandes agglomérations. Il faut attendre 1300 pour que cette ville atteigne 200 000 habitants. Pour ce qui est de la célèbre Amsterdam du 17e siècle, sa population est deux fois moindre que celle de Londres. Retenons toutefois une exception : Rome rassemble en 300 av. J.-C. plus de 800 000 habitants.

En 1800, moins de 3 % de la population du globe réside dans des agglomérations de 20 000 habitants ou plus ; il faut attendre 1960 pour que ce pourcentage atteigne 25 %. En 1980, ce chiffre a pourtant grimpé à 40 %. Au tournant du millénaire, la moitié des habitants de la Terre résident dans les villes. Donc, jusqu'au tournant du dernier siècle, la grande majorité des populations résident à la campagne. Le surplus de la production agricole est transporté jusqu'aux marchés des villes ; les marchandises des artisans et des commerçants attirent les paysans.

Aujourd'hui, l'amoncellement de biens désirables se fait autour des grandes mégalopoles qui aspirent les citoyens loin de leurs terroirs, et qui séduisent tout autant les touristes venus de contrées lointaines. Ce sont surtout les mégalopoles de 40 millions d'habitants et plus qui fascinent. La plus grosse mégalopole est ce que qu'on nomme Boswash qui s'échelonne de Boston à Washington ; une autre va de Chicago à Pittsburgh sur les Grands Lacs ; une autre court de San Francisco à San Diego en Californie. Des agglomérations similaires se structurent en Allemagne (sur la Ruhr), en Angleterre (London-Midlands), au Japon (Tokyo-Osaka-Kyoto).

Cette concentration de grands lieux de commerce est possible, à partir de 1850, grâce au développement des transports et des communications. Quand le transport est lié au cheval, les produits frais peuvent être acheminés à quelques dizaines de kilomètres seulement ; au-delà, les produits risquent de ne plus être frais. Le chemin de fer a tout changé ; les produits peuvent être expédiés à quelques centaines de kilomètres et arriver à destination encore frais. L'avènement de l'automobile a encore accentué les échanges commerciaux : c'est tout un chacun qui désormais peut acheminer lui-même ses produits jusqu'au marché.

Par ailleurs, les moyens de communication interpersonnels permettent de négocier des ententes commerciales à distance, diminuant ainsi le prix de revient des produits. La poste est longtemps le seul moyen de dicter des commandes à distance. La poste (*snail mail*) est suffisamment rapide quand il s'agit de produits non périssables mais elle devient vite inadéquate quand il s'agit de denrées périssables. C'est tout de même grâce à la poste que Sears Roebuck peut, à partir de 1886, monter son génial système de vente par catalogue — et au chemin de fer qui permet de livrer ces marchandises à des clients lointains (Sears avait été chef de gare). De cette manière, ce sont les grands magasins de la ville que Sears rend accessibles à ses clients de la campagne grâce aux 500 pages de son catalogue et à ses milliers de biens de consommation.

La technologie fait encore faire un pas de plus au commerce « longue distance » : les wagons réfrigérés peuvent acheminer les denrées périssables à des distances encore plus grandes, ce qui permet d'offrir des choix encore plus variés dans les grands centres urbains ; c'est alors que les oranges de Floride font leur apparition dans les bas de Noël de nos grands-mères.

Le télégraphe, puis le téléphone, puis Internet permettent de négocier plus rapidement les commandes, et le transport routier ou aérien de s'entendre plus précisément sur les délais de livraison. Avec les moyens d'aujourd'hui (radio CB, GPS, ordinateurs de bord), les grandes chaînes exigent la livraison *just on time*, éliminant ainsi les entrepôts : les marchandises, continuellement en transit, se trouvent stockées dans les camions-remorques qui encombrent les routes. La publicité peut dorénavant jouer sur le choix, l'exotisme... et le bas prix.

Les médias de masse

Le philosophe Jacques Dufresne reproche aux médias de masse de rendre les individus vulnérables à la persuasion en leur volant leur temps libre ; il pense sans doute à la télévision — la « boîte à grimaces » selon l'expression de mon frère. Dufresne écrit : « Les médias, en attirant vers eux une part croissante de l'attention et du temps nécessaires aux diverses formes de convivialité, semblent avoir pour effet, en multipliant les brèches dans leurs parois, de briser un à un ces corps intermédiaires, laissant les individus exposés sans défense, tels des vers de terre au soleil. Ce sont ces individus qui, juxtaposés, puis agglomérés, finissent par former une masse compacte que l'on peut manipuler et fanatiser au moyen de cette sœur politique de la publicité que l'on appelle propagande » (*L'Agora*, juillet-août 1996).

Les tirages des journaux n'ont pu augmenter qu'avec le progrès technologique.

C'est l'arrivée conjuguée de la mécanisation et de l'urbanisation qui a permis aux médias de masse de se développer. Jusqu'en 1875, les journaux ne tiraient qu'à quelques centaines d'exemplaires qui étaient lus par quelques centaines de notables à Québec ou à Montréal, et ils étaient souvent publiés irrégulièrement... selon l'arrivée des nouvelles.

Il est vrai que les premiers journaux quotidiens datent de 1700 ; l'Angleterre qui est davantage urbanisée peut déjà fait vivre un média de masse journellement. Même en 1900, Montréal ne compte que 300 000 habitants et il n'y a que 40 % des Québécois qui vivent en ville. Le célèbre journal *The Times* de Londres est fondé en 1785. *La Gazette de Québec* est lancée en 1764, mais elle est hebdomadaire — et bilingue parce qu'elle a pour lecteurs les notables de Québec qui sont majoritairement anglophones. Le premier hebdomadaire québécois exclusivement francophone est *Le Canadien* qui est lancé en 1806 ; bien qu'il était d'esprit démocrate, *Le Canadien*, comme la plupart des journaux jusqu'aux années 1950, était un journal de parti politique ; en 1810, le gouverneur général James Craig en fait saisir les presses, emprisonne l'imprimeur et les journalistes, puis les fondateurs (qui sont députés) et une vingtaine de partisans.

Les tirages des journaux n'ont pu augmenter qu'avec le progrès technologique : la presse rotative (mise au point en 1830), la machine à composer automatique (la Linotype, 1887), le télégraphe et le chemin de fer. Vers 1850, un journal comme *L'Avenir* de Montréal dispose d'environ un millier d'abonnés ; *The Times* de Londres tire déjà à 40 000 exemplaires, et le *Herald* de New York, à 60 000 (il y a une dizaine de quotidiens dans cette métropole). Le *Montreal Star*, fondé en 1868, est le premier quotidien canadien à grand tirage ; il se vend un cent. Le premier grand quotidien francophone, *La Presse*, est lancé en 1884 ; au tournant du siècle, ce journal tire à 65 000 exemplaires, lus majoritairement par les gens ordinaires.

Par ailleurs, les lois d'alphabétisation permettent de « former des lecteurs » pour les journaux. Dans son célèbre rapport commandé par le gouvernement britannique après la Révolte des Patriotes et déposé en 1840, Lord Durham affirme que le Québec est « le plus dépourvu d'instruction de tous les pays d'Amérique du Nord [...] et qu'une grande partie des instituteurs ne savent ni lire ni écrire ». Mettons ça en perspective : l'effort consacré à l'instruction publique par le peuple était plus important au Québec qu'en Angleterre ; en France à cette époque, 50 % des hommes et 90 % des femmes étaient illettrés. La première loi d'instruction publique québécoise, laïque et financée par l'État, date de 1829. Mais à partir de 1846, on impose une taxe scolaire ; l'Église catholique s'oppose farouchement à cette école publique qu'elle ne contrôle pas ; en 1875, elle obtient l'abolition du ministère de l'Instruction publique.

Au milieu du siècle, l'alphabétisation était largement réalisée et le nombre de lecteurs intéressés par le quotidien de masse était grand. Si bien que 400 quotidiens et 3 000 hebdomadaires sont publiés en Amérique du Nord en 1850. À l'origine, ces journaux ont une teinte culturelle, mais la massification les transforme rapidement en journaux de « chiens écrasés » qui font de plus en plus de place à la publicité. Les intellectuels se défendent d'abord contre l'intrusion de la publicité, surtout dans leurs revues (littéraires). Après l'abolition de la taxe sur la publicité en 1853, l'hebdomadaire britannique *Athenaeum* déclare : « C'est le devoir d'un journal indépendant de protéger, dans la mesure du possible, les gens crédules contre les ruses de la publicité insidieuse » (1853). La revue américaine *Harper's* n'accepte pas de publicité avant 1880, et le *Reader's Digest* avant... 1955. Eh oui ! ce qui paraît aller de soi aujourd'hui était pourtant inconcevable il y a 50 ans.

Depuis 1950, plus de 65 % de l'espace d'une revue peut être réservé à la publicité. Le lecteur ne paie peut-être que le tiers du prix de revient d'un magazine ; le reste est assumé par les annonceurs. C'est à se demander si le travail d'éditeur consiste à rassembler un contenu intéressant pour son lectorat, ou plutôt à offrir aux publicitaires ce lectorat — qui constitue un segment de marché aux caractéristiques particulières. On peut de même constater au fil des années que la publicité se taille une place de plus en plus prestigieuse : reléguée aux dernières pages des imprimés périodiques au début du siècle dernier, elle remonte graduellement vers les premières pages. Aujourd'hui, il n'est plus rare de voir « la une » des grands quotidiens et hebdomadaires piquetée d'annonces.

Conséquemment, les annonceurs acquièrent de plus en plus de pouvoir sur les éditeurs. Une des premières manifestations connues de cette pression s'est passée en 1940. Le grand magazine américain *Esquire*, à la suite d'un article qui vantait la guitare comme instrument d'accompagnement, vit disparaître tous les placements de publicités pour les grandes marques de pianos ; et elles étaient nombreuses à l'époque ! Les éditeurs savent dorénavant que les annonceurs imposent un frein au bouleversement de leurs marchés qui serait suscité par la matière éditoriale...

De nos jours, le quotidien ne compte plus que pour 37 % des dépenses publicitaires dans les médias de masse ; c'est la télévision qui était naguère encore le média de masse par excellence. Mais n'est-elle pas en train d'être supplantée par les « nouveaux médias » ? La bataille pour s'attacher des auditoires n'est pas terminée. Au printemps 2001, deux nouveaux quotidiens ont été lancés à Montréal ; ils sont gratuits et sont distribués aux *commuters* du métro. *Metro* est distribué à 100 000 exemplaires et *M-Montréal métropolitain* à 50 000 exemplaires. Les quotidiens traditionnels que sont *Le Devoir* et *La Presse* résisteront-ils à cette nouvelle pression ?

La surproduction industrielle

L'industrialisation a permis ce que l'on a convenu d'appeler « la production de masse ». Qu'est-ce qui différencie la production de masse de la production artisanale ? Plusieurs caractéristiques :

- la division du travail : chaque personne d'une équipe accomplit une tâche très simple, qu'il répète et pour laquelle il acquiert habileté et rapidité ;
- les pièces modulaires : on tente, par le design, de réduire le nombre de pièces différentes pour les produire en grandes séries, avec un taux de tolérance abaissé, assurant ainsi leur ajustement facile ;
- le recours à des matériaux plus étudiés, travaillés par des machines plus rapides et plus précises — aujourd'hui, les robots —, réduisant ainsi les coûts en matériaux, en temps et en personnel.

Aujourd'hui, la concurrence exige une qualité constante sur laquelle le citoyen ordinaire compte sans pardon, que ce soit pour sa voiture ou son fromage au lait cru.

La production industrielle suppose d'étudier minutieusement les objets à produire pour estimer au préalable les tirages, de même que les modes de production et les capitaux nécessaires pour assurer un rendement optimal. Henry Ford est considéré comme le premier industriel qui organise, à son usine de Highland Park au Michigan en 1910, une vraie « chaîne de montage ». L'économie réalisée estomaquait : en 1910, il fallait 12 heures 28 minutes, soit 748 minutes, pour monter un châssis ; en 1914, ce temps était déjà ramené à une heure 33 minutes, soit moins de 13 % du temps nécessaire quatre ans plus tôt. « Avant Ford, résume Stuart Ewen (1983) dans *Consciences sous influence*, les usines tournaient pour satisfaire un marché étroit, centré sur les classes aisées. L'expansion des capacités de production appelait désormais un accroissement symétrique du nombre d'acheteurs potentiels. [...] Dorénavant, il fallait habituer les gens à répondre aux exigences de l'appareil de production. [...] Pour répondre aux sollicitations du nouveau système industriel, le 20e siècle abandonna l'esprit d'épargne pour l'esprit de dépense promu au rang de valeur sociale. » La productivité augmente de 286 % durant les sept années allant de 1922 à 1929, année du grand krach qui déclenche dix années de dépression économique... et de misère dans les familles.

Pour que l'industrie puisse produire en masse à des prix que les masses peuvent accoter, les entrepreneurs doivent résoudre bien d'autres problèmes que ceux qui sont liés à la machinerie ; les obstacles résident aussi bien dans l'entreposage, le marketing ou le transport. De manière générale, on admet que la production de masse permet d'atteindre une qualité moyenne que la production artisanale ne permettait pas : autrefois, seuls les plus riches pouvaient se payer des meubles de qualité, construits sur commande par les artisans les plus habiles ; la masse des citoyens devait se contenter de produits dont la qualité était aléatoire, selon le moment et l'endroit. Aujourd'hui, la concurrence exige une qualité constante sur laquelle le citoyen ordinaire compte sans pardon, que ce soit pour sa voiture ou son fromage au lait cru.

Par ailleurs, les consommateurs ne pouvaient compter que sur la compétence et l'honnêteté du détaillant pour s'assurer qu'ils obtenaient la meilleure qualité au meilleur prix ; au moment où la publicité naissait, la vente sous marque était elle-même pratiquement inexistante. Farine, sucre, sel étaient vendus en vrac ; c'était le détaillant qui pesait (parfois un peu trop sur le plateau de la balance ou sur le crayon) la marchandise, et l'ensachait. Dans les années cinquante, une épicerie de quartier offrait encore plein de marchandises en vrac qui étaient vendues sans marque : chocolats, biscuits, tabac, lait, ainsi de suite. Il reste encore des reliquats de cette façon de faire dans les supermarchés : farine, sucre et sel sont conditionnés de façon sommaire parce que les marketers n'ont pas encore réussi à se distinguer les uns des autres et, pour ces produits-là, à faire payer aux consommateurs la valeur symbolique d'une marque.

Or c'est la publicité qui donne la notoriété aux marques, garantissant ainsi une qualité constante au consommateur... mais à un prix supérieur : celui qui se procure un appareil Sony s'attend toujours à retrouver la qualité Sony ; et il est prêt à débourser davantage pour obtenir cette sécurité. Par ailleurs, aujourd'hui les leaders du marché sont ceux qui ont réussi à obtenir la qualité totale... avant le mot. Heinz aurait-il la renommée que l'on sait si son ketchup n'avait pas la qualité qui est la sienne ? Frigidaire serait-il synonyme de réfrigérateur si General Motors n'avait pas réussi à mettre au point le meilleur réfrigérateur possible pour le prix le plus largement acceptable ? Ainsi de suite.

Une publicité façonnée pour le Québec

Durant le Régime français, il n'y avait pas de publicité comme telle. Il y avait bien quelques artistes qui travaillaient sous commande pour réaliser des « images qui parlent », mais ça s'arrêtait là. C'était le cas des officiers de l'armée britannique qui devaient maîtriser au moins sommairement le dessin de paysage — les officiers d'artillerie, pour pouvoir calculer les stratégies de tir pour leurs canons en fonction des détails du paysage ; les officiers du génie, pour établir des plans et des cartes. Tous avaient étudié le dessin à l'Académie militaire de Woolwich près de Londres. En 1759, le marquis de Townshend, commandant en second de l'armée anglaise cantonnée devant Québec, crayonne des caricatures de Wolfe ; l'aide de camp de ce dernier, Smyth, fait des croquis de l'envahisseur escaladant le cap en direction des plaines d'Abraham.

À partir de la deuxième moitié du 19e siècle, les photographes supplantent petit à petit les peintres.

Le plus célèbre « illustrateur publicitaire » du siècle dernier est sans doute le lieutenant-colonel James Pattison Cockburn, officier commandant du 60e Régiment d'artillerie britannique en poste à Québec de 1826 à 1832. Plusieurs de ces dessinateurs-officiers passent des contrats avec de grands éditeurs par lesquels ils s'engagent à livrer des pochades de paysages des régions qu'ils parcourent ; ces images sont ensuite éditées sous forme de livres qui jouent, dans le temps, le rôle de publicité touristique. D'autres publient leurs récits de voyages ou font paraître leurs illustrations dans le *Canadian Illustrated News* publié entre 1869 and 1885. Certains parcourent même le pays sous contrat, comme le fait Bartlett pour l'éditeur Payne de Londres (ce sont les reporters de *Geo* ou du *National Geographic* du temps) ; l'arpenteur montréalais Jacques Bouchette publie chez le même éditeur deux ouvrages de planches de paysages.

Jean-Baptiste Roy-Audy, lui, travaille comme lettreur d'enseignes et décorateur. Artiste autodidacte né à Charlesbourg en 1785, il se consacre professionnellement à son art à partir de l'âge de 30 ans ; il peint des monogrammes ou des paysages en cartouche sur les belles carrioles des bourgeois de Québec. C'est un graphiste publicitaire avant le nom, quoi !

À partir de la deuxième moitié du 19e siècle, les photographes supplantent petit à petit les peintres. J.-B. Livernois, par exemple, ouvre son studio à Québec en 1854 (ce studio dure jusque dans les années soixante) ; il laisse à la postérité 300 000 photos (scènes de ville, constructions, vie quotidienne, etc.). William Notman ouvre son studio de Montréal en 1856 — avant d'ouvrir des succursales à Ottawa, Boston, New York, et ainsi jusqu'à une quinzaine d'autres. Notman est d'abord un excellent portraitiste qui nous a laissé la tête de tous les grands de son époque, y compris celle de Buffalo Bill. C'est aussi un spécialiste des grandes reconstitutions symboliques en studio, des mises en scène avec arbres, animaux, neige... l'équivalent de ce que réalisent les photographes publicitaires d'aujourd'hui.

Bien que plusieurs de ces activités soient réalisées avec des visées persuasives en estompe, il ne s'agit cependant pas encore de publicité au sens moderne du terme.

La publicité de l'artiste à l'agence

À partir de la Confédération de 1867, c'est tout un changement de civilisation qui se produit au Québec. Les 3 000 militaires britanniques cantonnés à Québec (une ville de 30 000 habitants !) quittent le Canada en 1871. Adieu, les artistes officiers !

Le premier média de masse, le quotidien bon marché, fait son apparition, avec sa publicité à la clé pour permettre un prix de vente nominal : quelques sous. Si ce n'est du *Journal de Montréal* (et du *Journal de Québec*), tous les grands quotidiens québécois naissent entre 1869 et 1910 : *La Presse*, *The Gazette*, *Le Devoir*, *Le Soleil* (plus les défunts *Star*, *L'Action catholique* et *Le Canada*). Il existe déjà plus de 130 quotidiens au Canada vers 1910.

Un journal bon marché n'est possible qu'à deux conditions : disposer d'une technologie qui permet le tirage à grande vitesse... et d'une population largement scolarisée. Ces deux conditions furent remplies au Québec au tournant du siècle. Le tirage des quotidiens augmente alors régulièrement, et, ce phénomène étant couplé avec le surplus des biens de consommation, la publicité se fait de plus en plus présente à côté de la matière éditoriale. Comme discipline indépendante, la publicité prend donc son essor en même temps que se développent les grands journaux.

Servant d'intermédiaires entre annonceurs et journaux, les premières agences de publicité canadiennes « patentées » font leur apparition à la fin du siècle. La première agence de publicité au Canada est fondée à Montréal en 1889 ; c'est la McKim Newspaper Agency, qui est encore aujourd'hui une des grandes du Canada. Le Québec n'en reste pas à cette première « première » en communication : CFCF de Montréal est, en 1919, la première station radio au monde à diffuser régulièrement ; CKAC est, en 1922, la première radio de langue française au monde ; il faut savoir que Montréal est à l'époque la métropole économique incontestée du Canada.

La première agence de publicité francophone est fondée une vingtaine d'années plus tard, en 1908 (et demeure active jusqu'en 1974). Lancée par François-Émile Fontaine, elle porte le nom de Canadian Advertising Agency ltd (*sic*). À l'époque de sa fondation, aucun francophone ne pouvait prétendre réussir en affaires avec un nom d'entreprise français. Puis, avant la guerre de 1914-18, plusieurs dizaines d'agences voient le jour, si bien que la Canadian Advertising Agency Association — devenue l'Institute of Canadian Advertising — est déjà formée en 1905. Coca-Cola publie, en 1906 dans un quotidien de Peterborough, sa première annonce au Canada.

Comme le rapporte Ernest Turner (1952) dans *The Shocking History of Advertising*, la véritable « publicité vendeuse » (plutôt que simplement informative-répétitive) fait son apparition vers 1900 : « Persuadé que la publicité est un "vendeur sous forme d'imprimé" plutôt qu'une simple description ou la répétition d'un nom de marque, Albert Lasker, [président de l'agence Lord & Thomas de Chicago],

Les histoires de Mario.

Doubler la mise

D'informative dans les quotidiens au début, la publicité est devenue motivationniste, mode sur lequel elle envahit tous les médias.

Les créatifs ne sont jamais en reste. Dans cette campagne nationale pour les supermarchés Provigo, les publicitaires ont loué les panneaux-réclame « par paires ». Cela leur permet de mettre en scène un public ciblé et un produit vedette, ici, le poisson frais... sans écarter la possibilité de faire un mot d'esprit.

répand l'idée que la publicité doit exprimer une motivation (*the reason why*). » C'est John Kennedy, un jeune rédacteur-concepteur montréalais (un moment membre de la Police montée) qui convainc Lasker en 1904 de ce rôle nouveau de la publicité. À ce moment-là — et comme aujourd'hui — c'est aux États-Unis que les nouvelles techniques voient le jour pour se répandre ensuite au Canada ; les agences canadiennes servaient bien davantage à faire du placement dans les médias canadiens pour les grands annonceurs américains... Mais, rappelle Russell Johnston (2001) dans *Selling Themselves* : « Avec la venue de rédacteurs publicitaires et de visualistes [canadiens], on se met à défendre l'idée que les agences de publicité canadiennes connaissent mieux la culture locale canadienne que les agences américaines. »

Si les protes des ateliers jouent plutôt le rôle de conseillers typographiques, les vendeurs d'annonces jouent celui de conseillers, voire de concepteurs publicitaires.

La publicité canadienne a pris naissance à Montréal. Mais, de la même manière que les publicitaires anglo-canadiens ne servaient que de relais vers le marché canadien pour les publicitaires étatsuniens, la publicité canado-française n'était qu'une pâle traduction de la réclame pensée en anglais. Les entreprises annonceurs étaient anglophones, les publicitaires créaient une campagne canadienne anglophone... et demandaient ensuite à un sous-fifre francophone de Montréal de traduire les annonces, tout simplement. Ce n'est que dans les années cinquante que les premiers Québécois francophones prirent pied solidement dans le monde publicitaire : Payeur Publicité de Québec fut sans doute une de premières agences francophones à durer. Dans les années cinquante, on ne comptait encore que trois « vraies » agences francophones au Québec ; à la fin des années soixante, on en comptait encore tout au plus qu'une dizaine.

Par ailleurs, les imprimeries ont toujours constitué un secteur industriel important au Québec ; dans la première moitié du siècle d'ailleurs, l'imprimé devient le support publicitaire le plus courant. Les imprimeurs de langue anglaise tiennent leur premier congrès à Montréal en 1912, et les imprimeurs « canadiens-français » comme on dit alors tiennent le leur en 1938. Les imprimeries de journaux, elles, deviennent de grosses usines qui ont besoin de leurs « concepteurs publicitaires », utilisés surtout pour mettre en pages les annonces ou les travaux de ville que l'entreprise imprime concurremment au journal quotidien. Ces premiers « publicitaires » sont des typographes ou des représentants commerciaux qui développent un intérêt particulier pour la publicité ; évidemment, certains dessinateurs ont fait leur marque depuis que les journaux diffusent plus régulièrement des images, disons depuis 1890.

Si les protes des ateliers jouent plutôt le rôle de conseillers typographiques, les vendeurs d'annonces jouent celui de conseillers, voire de concepteurs publicitaires. Il est vrai que l'industrie a aussi suscité le métier d'artiste publicitaire bien avant que les écoles n'enseignent cette discipline. Dès le début du siècle, les deux grandes métropoles industrielles et commerciales du Canada font vivre des « artistes commerciaux » qui sont formés sur le tas. Ce n'est pas le goût du beau qui a fait surgir ces artistes publicitaires, mais les besoins en images des quotidiens et de la publicité.

Pendant la Grande Dépression, le publicitaire le plus célèbre internationalement est A.-M. Cassandre ; ses affiches font la publicité des plus grands annonceurs internationaux que sont à l'époque les compagnies de chemin de fer et de transatlantiques (les affiches *L'Étoile du Nord* publiée en 1927 et *Normandie* en 1935 sont vendues aujourd'hui comme chefs-d'œuvre dans les boutiques de *posters*). Un Montréalais, Raoul Bonin, décide d'aller travailler un temps à Paris avec Cassandre. Bonin revient à Montréal et est réputé être, selon les mots de Robert Stacey (1979) dans *The Canadian Poster Book*, « le premier graphiste-illustrateur canadien à affronter le marché avec le nouveau style puriste ».

Les besoins de propagande de la Seconde Guerre mondiale donnent un élan important au développement de la publicité au Canada et au Québec. Dès le déclenchement de la guerre, le gouvernement canadien fait appel au National Film Board — l'ONF — qui est peut-être le seul organisme gouvernemental disposant d'artistes visualistes talentueux. Mais c'est en 1942 qu'un coup de barre est donné : on nomme Harry Mayerovitch directeur du département de graphisme ; « Mayo », comme on l'appelle, s'entoure alors d'une équipe de bons visualistes dont Henry Eveleigh, d'origine britannique. En 1947, Eveleigh atteint une certaine notoriété dans les milieux spécialisés quand il obtient le premier prix du premier concours d'affiches mondial des Nations unies.

Mais c'est Gaston Parent qui comprend le premier que la publicité de l'avenir aura besoin d'une autre sorte « d'artistes » que ceux que l'on trouve chez les photograveurs, qui ne sont que des esclaves que l'on pousse à la production du bout du bâton... la carotte restant bien petite. Il quitte le photograveur chez qui il a appris les techniques pour donner jour au Commercial Art Center (CAC) — qui a aussi été incorporé sous le nom de Centre des arts de la communication, un nom sous lequel personne n'a jamais connu l'entreprise. Au début, cinq dessinateurs du Québec et d'ailleurs forment équipe avec lui ; puis, rapidement, le CAC devient une immense boîte qui fait travailler, dans les années soixante, jusqu'à une centaine d'artistes au service d'une cinquantaine d'agences de publicité de Montréal, pratiquement toutes anglophones à cette époque.

Les francophones, leaders de la publicité québécoise

À partir de 1965, les communicateurs québécois prennent conscience que leur nombre constitue une force. Certains se rappellent que l'union fait la force. Jusqu'alors, Montréal ne connaît que son Advertising and Sales Executives Club, fondé en 1910. Jacques Bouchard, le prince de la publicité franco-québécoise, fonde le Publicité-Club de Montréal en 1959. Le club Graphica de Montréal est mis sur pied ; dans son annuel *Graphica 67* — donc avant les retombées visuelles d'Expo 67... et des fastueuses fêtes du Centenaire de la Confédération —, Alan Wilkinson, son président, écrit : « C'est la troisième exposition annuelle d'art graphique appliqué à la publicité, à l'éditorial (*sic*) et à la télévision. Le nombre de 3 800 pièces inscrites au concours n'a jamais été dépassé par aucune autre exposition au Canada. » Mais le club est bilingue, et l'on sent encore le besoin (de colonisé ?) de se faire confirmer ses compétences par les étrangers : pas un seul des quatre membres du jury du concours Graphica 67 n'est Québécois ; ils sont tous Américains. Comparons le chemin parcouru vingt ans plus tard : le jury de Graphisme Québec 89 est composé de sept membres dont seulement deux membres viennent de l'extérieur du Québec. Le jury de Graphika 2000 se compose de 13 membres, tous actifs dans le monde de la publicité ou de l'édition au Québec.

Toutefois, dans cette publicité-là, les francophones du Québec jouent un rôle subalterne : avant 1950, le domaine économique est pratiquement exclusif aux anglophones ; les francophones sont cantonnés aux sciences sociales. C'est au cours des années soixante que les Québécois se lancent en affaires, démarrent des entreprises manufacturières ou de services de toute nature et, surtout, créent des organismes économiques puissants — comme la Société générale de financement ou la Caisse de dépôt et placement qui jouent un rôle de premier plan dans l'économie du Québec.

Petit à petit, la publicité québécoise devient une sous-culture importante sur le plan national ; les médias commentent les campagnes en cours.

Au même moment, les annonceurs dépensent de plus en plus d'argent au Québec. Dans ces années-là, le géant de la lessive Procter & Gamble commandite six dramatiques radiophoniques par jour, cinq jours par semaine. On sait maintenant pourquoi on donne à ces séries dramatiques le nom de « roman savon ». La série *Un homme et son péché* a battu le record nord-américain de tous les temps pour la longueur d'un roman-fleuve ; l'engouement pour ce genre d'émission ne s'est jamais démenti. Conséquemment, sont nées des agences de publicité innovatrices comme BCP-Publicis (fondée par Jacques Bouchard en 1963), et Cossette Communication Marketing (fondée par Claude Cossette en 1964).

La Révolution tranquille du Québec commence avec les années soixante. On peut caractériser la Révolution tranquille par deux transformations profondes de la société : un courant nationaliste (modernisation et accroissement du rôle de l'État, grands projets d'infrastructures, prise en main de l'économie, etc.) et un courant anticlérical (laïcisation des systèmes d'éducation et de santé, libéralisation des mœurs, abandon de la pratique religieuse, etc.). Tout un train de lois est voté par le gouvernement libéral au pouvoir jusqu'en 1966 qui crée la Société générale de financement, la Caisse de dépôt et de placement, l'assurance maladie, l'assurance hospitalisation, les pensions aux personnes âgées, l'Office de la langue française, les collèges d'enseignement général et professionnels (les cégeps), puis nationalisation de l'électricité, assainissement des mœurs politiques, accès généralisé aux études supérieures, ainsi de suite. On met sur pied l'Office d'information et de publicité, tentant ainsi, pour la première fois, de centraliser et de professionnaliser la communication gouvernementale.

Comme peuple, les Québécois ont désormais le sentiment d'être à la fois différents des autres Canadiens, et aussi capables que les autres nations avancées de prendre leurs affaires en main. Mais il faut encore que les publicitaires convainquent les grands annonceurs de leur compétence. Dans les années soixante, une entreprise comme la Dominion Corset de Québec, qui appartient pourtant à des intérêts francophones, fait encore exécuter sa publicité par des boîtes de New York, convaincue à tort qu'elle ne peut obtenir des services professionnels de qualité équivalente au Québec. Il faut attendre l'arrivée d'un pdg anglophone pour que cette entreprise (qui est longtemps la plus grosse du genre dans le Commonwealth britannique) fasse appel à une agence de publicité de Québec ; cet homme est convaincu que seul des Québécois peuvent parler efficacement à des Québécois. Il a raison : la marque Daisy Fresh obtient un succès sans précédent avec la campagne que Cossette concocte avec la participation d'une vedette... anglophone.

Petit à petit, la publicité québécoise devient une sous-culture importante sur le plan national ; les médias commentent les campagnes en cours sur le plan de la langue, des symboles culturels ou des aspects moraux. En 1978, Télé-Québec, que l'État a mandaté d'une mission « éducative », décide de diffuser pour la première fois une importante série d'émissions qu'on baptise *La Publicité au Québec*. On demanda à Claude Cossette d'établir le contenu d'une vingtaine d'émissions ; cette série comporterait des illustrations dramatiques, des interventions pédagogiques de l'auteur, ainsi que des résumés présentés par un jeune animateur, Jean Doré (qui devient par la suite maire de Montréal) ; le tout est accompagné de *Guides d'étude* et autres outils pédagogiques car la série est intégrée à un cours à distance offert par la Télé-université, une composante de la nouvelle Université du Québec. Tous les grands réseaux de télévision diffusent aujourd'hui des émissions qui parlent de la publicité ou qui y font allusion ; à l'hiver 2001, une série dramatique qui se passe dans l'univers de la publicité, *Tribu.Com*, est mise en ondes par le réseau TVA ; le diffuseur obtient un important succès populaire.

C'est ainsi que la publicité avec ses caractéristiques nationales s'est imposée dans le grand public, chez les gens d'affaires du Québec et jusque dans plusieurs grandes multinationales. Quand j'ai quitté la présidence de Cossette Communication Marketing, l'agence était déjà la première en importance au Québec ; elle est désormais la plus grande agence de publicité du Canada avec des bureaux à Halifax, Québec (siège social), Montréal, Toronto, Vancouver et Washington.

3

La persuasion clandestine

En 1958 paraît un livre qui fait sensation dans le grand public : *La Persuasion clandestine* de Vance Packard. Dans ce livre, Packard, un journaliste formé en droit, présentait sous un aspect sensationnalisme des procédures supposées habituelles dans le monde de la publicité. Il décrivait les publicitaires comme « ceux qui sont doués dans l'art d'exploiter l'intelligence des savants pour nous inciter à acheter ». Selon Packard, les « savants » auxquels la publicité fait appel sont les audiologistes (analystes de l'inflexion de la voix ?), les psychographes, les psycholinguistes, les neurophysiologistes, les spécialistes de la communication subliminale (?), les psychobiologistes, les hypnotechniciens, les spécialistes des réflexes conditionnés (!), les spécialistes de la psychométrie, les technologues de la compression des messages (!!). Bref, il s'efforce de mentionner ici des spécialités aux consonances scientifiques pour impressionner le lecteur populaire.

Packard n'est pas un publicitaire. Il rapporte des faits qu'il a colligés dans les médias de masse ou dans des périodiques spécialisés. Ces « faits » qu'il rapporte sont souvent le résultat d'opérations de relations publiques orchestrées pour des entreprises en recherche de clients pour leurs nouveaux services miraculeux — ou d'universitaires en mal de notoriété, de complicité, puis de contrats de recherche avec l'industrie publicitaire. Plusieurs des faits rapportés sont des bobards montés de toutes pièces et les entreprises dont il est question disparaissent avec la mode éphémère qu'ils ont déclenchée. Il en fut ainsi de la Subliminal Projection Co. de James Vicary que Packard étiquetait dans son livre du titre de « directeur respecté d'un cabinet de recherche de motivations ». C'est ce Vicary qui vantait la publicité subliminale dans les années cinquante (voir la section « La publicité subliminale »). Or, si cette publicité avait été si efficace, est-ce que Vicary et son entreprise seraient aussi rapidement disparus dans la brume de l'histoire ?

Il est vrai que, sous certains aspects, les publicitaires présentent toujours leurs produits sous leur plus beau jour, faisant appel à toutes les ressources de la psyché humaine pour les faire briller comme miroirs aux alouettes. Par ailleurs, sur le plan sociopolitique, existe-t-il un domaine d'activité aussi public et aussi surveillé que la publicité ? Dans ces conditions, la publicité pourrait-elle vraiment être « croche » ? Voici ce qu'en pense Morris Hite, un philanthrope universitaire : « La publicité est un petit peu plus morale, un peu plus éthique que la strate socio-économique supérieure de la société. Pourquoi ? Parce que la publicité évolue dans un aquarium : c'est la plus visible des pratiques commerciales. Elle est surveillée par des millions de critiques. Aucune entreprise, aucun moyen de communication, aucune forme d'art (ou quelque nom que vous donniez à la publicité), aucune autre entreprise n'est plus surveillée. » Il est vrai que Morris Hite était publicitaire et... Texan (cité dans Pate, 1988).

Dans la présente partie, nous abordons la publicité sous un angle technique. Pas dans le dessein de transformer le lecteur en publicitaire, mais pour donner la chance au citoyen actif de lutter plus efficacement en lui permettant de distinguer plus clairement les stratégies auxquelles le publicitaire a recours. Nous le ferons en quatre temps.

Dans un premier temps, nous verrons qu'« il y a publicité et publicité » : ce qui apparaît comme une réalité homogène aux yeux du profane prend des aspects diversifiés aux yeux du spécialiste. Dans un deuxième temps, nous expliquerons comment se fait la publicité, à quelles « techniques publicitaires » les spécialistes font appel pour réaliser leurs messages persuasifs, comment ils fixent un objectif publicitaire, quel rôle joue la psychosociologie dans la persuasion, pourquoi les publicitaires déterminent un groupe de personnes comme cible — incidemment, on découvrira pourquoi la terminologie publicitaire se calque sur la terminologie militaire. Dans un troisième temps, nous examinerons les « tactiques tous azimuts » que privilégient les publicitaires comme la répétition qui est largement répandue, ou celles qui sont davantage questionnées (comme : vaut-il mieux réaliser un message esthétique mais *soft sell* plutôt qu'un message platement mais efficacement *hard sell* ? Ou vaut-il mieux mettre au point des campagnes mondiales plutôt que spécifiquement adaptées à un marché régional ?). On verra aussi le rôle qu'on donne à jouer à deux sortes de vedettes : les stars des arts ou du sport, et les noms de marque.

Il y a « publicité » et publicité

Le plus important marché publicitaire au monde est constitué par les États-Unis. Mais si on exclut les budgets d'origine américaine, les 25 plus grandes agences de publicité dans le monde originent de plusieurs pays : dix sont américaines, sept sont japonaises, quatre britanniques, deux françaises et une est coréenne. Mais, pour ce qui est des budgets européens, les plus grandes agences sont françaises ; les deux plus importantes sont EuroRSCG et PublicisFCB.

Le profane prétend que la publicité a pour but de susciter des ventes. « Quelle belle campagne ! Cela doit faire sonner le *cash* ! » entend-on. Or il est rare que l'on confie à la publicité la tâche de produire directement des ventes. « Ah ! oui ? Comment cela ? » C'est cette question que nous examinerons en quatre sections. Dans une première section, nous considérerons comment le concept moderne de marketing est né, et comment le « concept moderne de marketing » réussit à faire augmenter les ventes. Dans la deuxième section, nous ventilerons les divers sens que peut prendre cette « publicité aux mille visages » : toute forme de communication persuasive sur un produit ou un service commercial est communément appelée publicité ; ce mot est alors employé dans un sens générique ; on verra qu'aux yeux du publicitaire la promotion des ventes ou la communication interne ne sont pas à proprement parler de la publicité. Dans la troisième et dernière section, nous donnerons quelques chiffres qui permettront au lecteur de se faire une idée des coûts de la publicité, et des « millions qui sont chaque année dilapidés » par les entreprises et les États.

Le concept moderne du marketing

Le marketing vise à susciter l'achat de biens et de services par les consommateurs. Les premières applications extensives du concept de marketing datent des années 1950, lorsque des chefs d'entreprises et des universitaires prennent subitement conscience que ce n'est pas l'entreprise qui est au cœur du commerce mais bien le consommateur. Le marketing devient alors, petit à petit, le concept clé en commerce, et le responsable du marketing voit son pouvoir croître de manière importante.

Mais retournons en arrière. Au début du siècle déjà, dans les principaux secteurs de production, le travail est organisé industriellement. Mais on peut affirmer que ce sont les secteurs de la finance et de la production qui donnaient le pas à l'entreprise ; l'offre de biens continue d'être inférieure à la demande des consommateurs. Aussi commence-t-on à envisager des façons d'améliorer la productivité des travailleurs, en particulier dans les domaines de l'acier (l'automobile) et du textile. Mais, tant et aussi longtemps que la demande pour les produits mis en marché est supérieure à la capacité de production des usines, la primauté de l'approche production n'est pas véritablement remise en cause. Pourtant, dès 1920, les entrepôts commencèrent à s'emplir, et les stocks de biens non vendus se mettent à gonfler. La production ayant dépassé la demande, des efforts de vente exceptionnels sont déployés. Et la publicité moderne, qui a pris un envol timide vers 1875, est alors perçue comme une technique prometteuse, voire salvatrice, pour stimuler la demande.

Voyons comment dans un domaine particulier, celui des motoneiges, on passe de la philosophie du producteur à la philosophie du marketer. Il est connu que les Québécois sont inventifs (des « patenteux » !) mais que leurs inventions ne réussissent pas souvent à atteindre les marchés mondiaux ; c'est qu'ils étaient jusqu'à tout récemment relativement faibles en marketing. Mais SkiDoo est une réussite exemplaire du marketing moderne. En 1922, Joseph-Armand Bombardier matérialise pour la première fois son idée d'un véhicule autopropulsé capable de transporter les voyageurs sur la neige abondante des régions froides : un moteur de Ford-T monté sur quatre patins de *bob sleigh*. Un peu avant la Seconde Grande Guerre mondiale, il met au point ses premiers modèles industriels commercialisés ; à la fin des années quarante, il obtient un franc succès avec son célèbre Snomobile 12 passagers, bleu, à hublots, qui a transporté des milliers de Canadiens à travers les champs en hibernation.

Mais Bombardier est avant tout un mécanicien. À ce titre, il a une mentalité de « producteur » : il est convaincu que son produit est si bon que tout le monde se précipitera pour l'acquérir. Il n'a fait aucune enquête de marché ; seule son intuition le guide pour décider des modèles à construire ou de la couleur de la motoneige. Il ne croit pas en la publicité et fuit les journalistes. Une de ses intuitions est pourtant géniale : il est convaincu que tout le monde a besoin d'une autoneige individuelle : un « ski-dog » — un chien esquimau mécanique qu'il lance sur le marché à la fin des années cinquante. En 1963, Bombardier vend déjà chaque année près de 8 000 SkiDoo (comme on l'appelle dorénavant), mais ne fait aucune publicité et n'a que trois personnes au service des ventes.

La publicité moderne [...] est alors perçue comme une technique prometteuse, voire salvatrice, pour stimuler la demande.

En 1964, Joseph-Armand Bombardier meurt, laissant l'avenir de l'entreprise aux mains de ses enfants. Ceux-ci font prendre le virage marketing à l'entreprise Bombardier : ils décident de faire de la recherche marketing, de commercialiser le SkiDoo à l'échelle de l'Amérique et de miser sur la publicité. Tous les efforts sont faits pour connaître les besoins du consommateur et pour satisfaire ses attentes. On décide de corriger et de diversifier la production, de faire du SkiDoo un produit de consommation de masse. Un designer industriel conçoit un nouveau carénage pour la machine qui acquiert son allure caractéristique jaune à bande noire. On met au point sept séries de motoneiges, de la plus économique à la grande sportive, avec un choix de moteurs et d'accessoires. Résultat : à la fin des années soixante, on vend près de 200 000 véhicules par année. Près de 50 % des motoneiges circulant en Amérique sont à cette époque des SkiDoo.

Morale de cette histoire : le client a toujours raison ! C'est ce que les dirigeants d'entreprise ont compris à un moment donné ; ils doivent délaisser leur vieille philosophie de producteur pour adopter l'approche plus dynamique du marketer, qui consiste à mobiliser tous les secteurs de l'entreprise en vue de satisfaire les besoins clairement exprimés par les consommateurs. On peut dire que cette idée constitue un point tournant vers une bifurcation du système de production : le profit n'est plus automatiquement lié au capital ; il se présente plutôt comme une récompense pour ceux qui investissent leurs efforts à satisfaire les attentes de clients potentiels.

Le marketing est donc un ensemble d'activités continuellement interreliées, et qui s'échelonnent à partir du moment où une idée germe dans la tête d'un concepteur, jusqu'à l'acte de consommation proprement dit. Cela inclut par exemple tout aussi bien l'emballage du produit, les relations publiques, la publicité sur le lieu de vente, la recherche, la fixation des échelles de prix, etc., bref, toute une foule d'actions résultant d'une multitude de décisions. La ligne spatiotemporelle qui guide toutes ces actions du marketing a pour point de départ un acte antérieur à la production même puisque toute volonté de produire un bien doit d'abord s'appuyer sur la connaissance des marchés à satisfaire.

La liste des fonctions économiques et sociales du marketing qui s'échelonnent d'un bout à l'autre de la chaîne est en soi assez abstraite. Toutefois, Jerome McCarthy (1960) propose dans son livre *Basic Marketing* quatre variables clés qui sont désormais bien connues ; on s'y réfère souvent comme les « quatre P » du marketing en raison de leur dénomination en anglais : le produit, le prix, l'accessibilité (*places*) et la communication (*promotion*). Soit dit en passant, cette catégorisation n'est pas la seule qui existe ; d'autres répartissent autrement les secteurs d'activité du marketing.

Le dosage stratégique des quatre variables ou 4P constitue ce qu'on appelle un « marketing-mix » qui détermine en quelque sorte la position d'un produit ou d'un service sur le marché. Il est facile d'imaginer le nombre infini de combinaisons possibles que l'on peut obtenir en faisant varier l'un ou l'autre des éléments. La manœuvre généralement réalisée par les entreprises consiste à créer un mix original des quatre éléments, de façon à s'immiscer dans une partie inoccupée du marché, ce que l'on appelle un « créneau » (*positioning*). Dans *Le marketing : fondements et applications*, les professeurs Darmon, Laroche et Petrov (1978) ont tenté d'éclaircir sur quel principe se faisait le choix des éléments du mix : « Ils doivent s'intégrer dans un plan cohérent pour contribuer d'une manière harmonieuse à la réalisation des objectifs du marketing. Il s'agit donc de doter chaque élément du marketing-mix d'objectifs que lui seul, par sa nature, est capable de réaliser en vue de contribuer aux objectifs commerciaux de l'entreprise. »

La clé du succès d'une campagne de publicité, c'est de s'assurer que l'entreprise qui est le client-annonceur s'appuie sur un marketing-mix gagnant. Un marketing-mix gagnant, ce n'est pas seulement disposer d'un bon produit et pouvoir l'offrir à un prix compétitif. Un marketing-mix gagnant, c'est une stratégie marketing qui « ouvre » un créneau précis et différent de la concurrence. Les publicitaires savent bien que le prix le plus bas n'est pas toujours l'argument clé ; dans plusieurs secteurs d'activité économique, à qualité approximativement égale, le produit le plus cher est le plus prisé... parce qu'il jouit d'une image de marque pour laquelle le consommateur est prêt à payer. Un ado serait réticent à débourser au-delà de quelques sous pour 350 ml d'eau auquel on aurait ajouté huit cuillérées de sucre et un peu de gaz ; mais il est heureux de sacrifier un dollar ou davantage si c'est écrit Coke sur la bouteille. En marketing, le prix n'est qu'une des variables prises en compte par le consommateur — et le publicitaire sait qu'elle n'est pas souvent la plus importante.

Ce qui compte pour le publicitaire, c'est le prestige de l'image de marque qu'il incruste dans la tête des consommateurs.

Ce qui compte pour le publicitaire, c'est le prestige de l'image de marque qu'il incruste dans la tête des consommateurs. Betty Furness, animatrice de la célèbre émission de consommation *Ask Betty Furness* dans les années soixante, fit un jour une enquête sur les crèmes de beauté. Elle rassemble un assortiment de produits allant de quelques dollars à cent dollars le pot. Elle fait analyser les produits par un dermatologue... qui explique que tous contiennent sensiblement les mêmes produits : de l'eau, de l'huile et une quantité infinitésimale de produits chimiques. La seule différence entre le plus cher et les autres est... que l'eau ayant servi à la composition du plus cher est distillée. On entend encore crier l'entrepreneur novice « Qualité — Service — Prix » ; il se bat ainsi (en pure perte, certainement !) sur tous les fronts du marketing à la fois : qui peut, de manière crédible, offrir tout à la fois ? Il est indéniable que, si quelqu'un réussissait à concevoir un produit d'extrême qualité, avec un service après-vente impeccable, un prix ridiculement bas et une publicité intensive, cet individu deviendrait riche dans le temps de le dire. Mais ce mix-là est impossible à réaliser, cette combinaison miraculeuse impossible à mettre en place parce qu'elle est trop coûteuse.

Au contraire, les bons marketers savent se distinguer sur d'autres critères que le prix. « Le summum du raffiné gastronomique » dit le maître cordon bleu Serge Bruyère (ouille ! pour les prix, mais ce n'est pas là son créneau). « Plus vite que son ombre » pense-t-on des restaurants (!) McDonald's (sachant bien qu'on ne peut exiger son hamburger médium-cuit à cette vitesse-là...). « Repas complet à 4,75 $ affiche la Binnerie du coin. Chaque cuisine propose sa recette (son marketing-mix) particulière, selon que le produit est important ou moins dans sa stratégie marketing, selon que la publicité joue un rôle crucial ou non, selon que le prix constitue l'argument massue ou non.

Pour Serge Bruyère, sa « soupe marketing » est probablement constituée comme suit :

- 60 % de produit (la base)
- 10 % de prix (ce qui n'est pas important dans la décision d'achat de ses clients)
- 23 % d'accessibilité (l'endroit, la présentation, le cadre)
- 7 % de publicité

Pour McDonald's, la « soupe » ressemble plutôt à ceci :

- 25 % de produit (un produit moyen)
- 25 % de prix (à un prix moyen)
- 25 % d'accessibilité (proximité, organisation)
- 25 % de publicité (avec une poussée publicitaire relativement importante)

Pour la Binnerie du coin :

- 30 % de produit (un produit de moyenne haute)
- 55 % de prix (qui constitue ici la clé)
- 10 % d'accessibilité (assez peu important dans la décision d'achat)
- 5 % de publicité (non significative)

Dans le monde commercial, le mets que tout bon chef concocte est un fin composé d'ingrédients marketing. Adieu ! « qualité-service-bas prix », cette sauce sans saveur des commerçants naïfs.

Ainsi, si l'on souhaite introduire un produit chic vendu exclusivement dans quelques magasins de prestige, il faudra sans doute le promouvoir par une vaste campagne dans les magasins spécialisés ou à la télévision, ce qui coûtera des sous, et entraînera nécessairement une hausse dans le prix de vente du produit. Par contre, si l'on ambitionne de geler le prix au plus bas niveau possible, on devra alors sans doute sacrifier sur la qualité du produit, réduire les coûts de distribution et sabrer dans les dépenses publicitaires.

Bref, à chacun sa recette, mais pour amener le succès elle doit avoir sa saveur propre. Cela amène un autre concept utilisé par les publicitaires et qui révèle l'essence du marketing-mix, le *positioning*. Le positioning implique trois décisions préalables : qui sont les consommateurs susceptibles d'être intéressés par le produit ? (segmentation du marché) ; quel consommateur en particulier sera visé par la publicité ? (*targeting*) ; quel avantage du produit sera mis en valeur dans les messages publicitaires (la motivation clé) ?

Prenons le cas du savon de toilette. Hommes, femmes, jeunes, vieux utilisent ce type de produit (segmentation). Mais un marketer peut décider qu'il visera les femmes de plus de 25 ans comme marché privilégié (*targeting*), et opter pour distinguer son produit des concurrents en démontrant qu'il est une quasi-crème hydratante. C'est la décision qu'a prise Dove au milieu du siècle. Dove fut lancé par Lever Brothers en 1957 avec un mix-marketing particulier : le nom suggestif d'évasion, de douceur et de sentiment (Dove = tourterelle), la forme arrondie, l'emballage (dans un boîtier au lieu d'un papier), la publicité diffusée essentiellement dans les médias prisés des femmes et, surtout, l'axe motivationnel : « Dove est plus qu'un savon ». Plus de 40 ans plus tard, Dove redit toujours la même chose, et en démontrant cette affirmation avec l'image de crème que l'on verse dans le pain de savon. C'est son *positioning*.

Par ailleurs, pour que la publicité puisse jouer son rôle dans le marketing-mix, le publicitaire peut opter entre deux voies de pression : la stratégie de l'offre (*push* disent les anglophones) et la stratégie de la demande (*pull* disent les anglophones). Qu'est-ce à dire ? Que le publicitaire peut adopter une procédure de pression sur les revendeurs-détaillants pour qu'ils proposent leurs marchandises aux consommateurs (stratégie *push*) ; ou qu'il peut choisir de pousser les consommateurs à demander le produit (stratégie *pull*).

La stratégie de la demande est coûteuse en médias car elle fait appel à une diffusion massive vers un large public. C'est la stratégie communément adoptée pour les produits qui n'exigent pas d'engagement affectif (et monétaire). Par exemple, acheter un billet de Loto-Québec à 1 $. Les budgets de publicité investis pour inciter le grand public à acheter son billet de loto sont immenses ; le consommateur achète des billets de manière strictement proportionnelle à la quantité de publicité diffusée. Il s'agit ici de stratégie *pull.* Mais le consommateur subit aussi les effets d'une stratégie *push* : « Un petit billet de Loto avec ça », lance le commis du dépanneur, car il subit une pression *push* (il est inondé d'information, voire lessivé de « formation », il bénéficie d'un pourcentage sur les billets gagnants, ainsi de suite)... et il transfère cette pression sur son client.

Le publicitaire sait que le véritable marketing — comme la véritable communication-marketing — s'appuie sur une connaissance approfondie du milieu qu'il veut pénétrer. Or ce milieu est en perpétuelle mutation. Ainsi, au début du siècle, on annonçait les vins dans les journaux comme des produits de santé : « Si vous êtes fatigués, disait-on, buvez le bon vin Bacchus, l'élixir de bonne santé ». Aujourd'hui, la motivation invoquée pour le même produit serait tout autre : « Risquez, dirait-on, le goût d'une rencontre inoubliable avec une bouteille d'excellent Bacchus ». Un nouveau climat social remettra éventuellement en cause le contenu des messages publicitaires pour le vin Bacchus.

Le marketing, c'est la forme moderne de la guerre. Jadis, le seigneur utilisait ses soldats pour conquérir des territoires et ses richesses ; dorénavant, ce sont les CEO (les *chief executive officers*) qui expédient aux quatre coins de la planète leurs mandataires pour conquérir de nouveaux marchés. Ces marketers sont la plupart du temps de jeunes mercenaires et tout leur vocabulaire est un vocabulaire guerrier : stratégie, tactique, positionnement, lancer un blitz médiatique, gagner un marché, etc. Bonnange et Thomas (1987) expliquent dans *Don Juan ou Pavlov* : « Le marketing, c'est la guerre. Du point de vue du marketing, les autres, ce sont les ennemis. Et, comme à la guerre, le but est de conquérir des territoires et de savoir les garder. »

J'ajouterais ceci : comme à la guerre, beaucoup d'humains et d'armées (d'entreprises !) y trouvent la mort : les humains font des burnouts, et les entreprises font faillite.

Dans *La Morale*, Francesco Alberoni (1996) rempile : « Le chef d'entreprise doit conduire son entreprise à la victoire sur ses concurrents, en les poussant à la faillite s'il le faut. La pratique du marketing et de la finance peut se comparer à celle des arts martiaux, même si elles ne se traduisent pas par des morts et des blessés. [Mais...] ce qui détermine la qualité d'une marchandise n'est pas la victoire de l'un des concurrents, c'est la décision du consommateur, son jugement. »

Voilà ! Le marketing est toujours un *Marketing guerrier*, comme le rappelle le titre du best-seller de Ries et Trout (1988).

Publicité aux mille visages

Nous pouvons donc maintenant distinguer les divers types de publicité que le commun des mortels appelle pourtant tous « publicité ». Nous-mêmes, nous utiliserons tout au long de cet ouvrage de vulgarisation le mot publicité de manière englobante ; la publicité inclura alors tout aussi bien la publicité proprement dite que la promotion des ventes, les relations publiques ou la communication interne.

On ne peut donc espérer que la publicité atteigne ses objectifs qu'à long terme.

Mais, pour garder tout de même les idées claires, nous allons expliquer en quoi ces divers types de communications se distinguent les uns des autres. Pour chacune des activités, nous allons donner une définition qui précisera :

- le but principal
- la profondeur des effets
- la vitesse de travail
- l'ampleur du plan
- le type de message
- les moyens de diffusion

Alors, qu'est-ce donc que la *publicité* proprement dite ? La publicité est une activité de communication qui a essentiellement pour but de *façonner l'image de marque* d'un produit ou d'un service (voir la section « Imposer une image de marque »). Donc attention ! Le but de la publicité n'est pas de vendre : la vente appartient au vendeur et, surtout, c'est l'ensemble des quatre activités du marketing qui génère les ventes (le « marketing-mix »). Tout au plus pourra-t-on espérer que la publicité fera un bon travail de prévente, en augmentant le niveau de confiance des consommateurs pour une marque ou une entreprise donnée.

En effet, le rôle de la publicité, c'est d'essayer de changer l'attitude du consommateur face à un produit ou un service, de faire percevoir ceux-ci plus positivement, voire de créer une aura autour du produit, d'y ajouter une valeur symbolique. C'est une tâche difficile et de longue haleine : les attitudes ne se changent pas facilement ; cela prend de la persuasion, de la répétition, du temps. On ne peut donc espérer que la publicité atteigne ses objectifs qu'à long terme. C'est pourquoi un plan de publicité comprend habituellement les activités d'au moins une année, avec une mise en perspective pour une ou deux années additionnelles.

Par ailleurs, les messages publicitaires (au sens propre) ont habituellement grande allure : ils sont longuement étudiés tant sur le plan communicationnel que sur le plan esthétique. Ils sont distinctifs et distingués. On utilise pour la publicité tous les moyens de diffusion mais on privilégie pour elle les cinq grands médias de masse : télévision, radio, quotidiens, périodiques et panneau-réclame — sans mentionner pour le moment Internet qui constitue un média en lui-même.

Par ailleurs, la *promotion des ventes* est une activité de communication qui a essentiellement pour but de provoquer une demande immédiate pour un produit ou un service. Je rappelle encore que, même dans ce cas, on ne peut imputer entièrement à la promotion les ventes réalisées : celles-ci seront toujours le résultat du marketing-mix dont la communication n'est qu'un des quatre « P », un des quatre ingrédients.

Si la publicité veut changer des attitudes, la promotion se contente de vouloir provoquer des comportements d'achat immédiats ; aussi s'attend-on à ce que les effets d'une activité promotionnelle se fassent sentir à court terme... quitte à ce que le consommateur soit

L'humain touche l'humain.

Les êtres humains sont toujours intéressés par les êtres humains. C'est pourquoi une large majorité des périodiques font leur « une » avec la tête d'un personnage. Regardeurs et portraits sont reliés par un lien affectif invisible ; dans une image, les visages sont toujours aperçus dans un premier temps (on est également touché par les animaux). Puis, dans un deuxième temps, ce sont les choses en mouvement comme les nuages ou les automobiles qui attirent le regard. Enfin, dans un troisième temps, les objets immobiles sont examinés. Cette hiérarchie évoque la division du monde en trois règnes : animal, végétal et minéral ; et c'est cette hiérarchie qui, dans une séquence de visionnement, contraint l'intérêt.

infidèle lors de sa prochaine décision d'achat. On ira pour cela jusqu'à concocter un marketing-mix spécial pour chaque promotion particulière : un format particulier, un prix adapté, voire une forme de distribution précise.

Parallèlement, si l'on peut espérer obtenir des résultats rapides de la promotion, on ne peut prétendre à un effet durable. Les activités promotionnelles s'usent rapidement et sont toujours à recommencer. Chaque promotion commande son plan particulier qui considère toujours une période relativement courte de quelques jours à quelques semaines (rarement quelques mois). Avec chaque nouvelle promotion, on s'adapte à l'évolution du marché.

Par ailleurs, on peut diriger les activités promotionnelles, soit vers les vendeurs (pousser la vente : stratégie *push*), soit vers les consommateurs (provoquer l'achat : stratégie *pull*). Mais les techniques utilisées seront sensiblement les mêmes :

- les bons de réduction
- les concours
- les démonstrations
- les échantillons
- les gadgets donnés ou vendus
- les offres d'essai
- les primes
- les rabais
- les reprises-échanges
- les ventes 2 pour 1
- etc.

Les annonces promotionnelles ont souvent une allure beaucoup plus « bébelle » que les annonces publicitaires : les prix vedette, les encadrés, les bandeaux en coin, les étoiles, le clinquant sont les outils habituels de la promotion.

Bien que la promotion puisse utiliser les mêmes médias que la publicité, elle recourt plutôt aux affiches sur le lieu de vente, aux envois postaux, aux encarts dans les journaux (ou aux dépliants publicitaires format journal) qu'elle affectionne particulièrement.

Par ailleurs, les *relations publiques* constituent une activité de communication qui a essentiellement pour but de faire valoir le rôle social de l'entreprise. Elle y arrive en diffusant de l'information sur ses activités économiques et ses engagements sociaux. Bien sûr, l'effet dérivé espéré pour une entreprise sera d'entretenir de meilleures relations avec le public, d'être perçue comme une honorable entreprise dans la société (*good corporate citizen*, comme disent les Américains).

Le rôle des relations publiques est un rôle à long terme puisqu'elles travaillent à modifier la façon dont une entreprise est perçue par les citoyens en général — non seulement par les consommateurs mais encore par les politiciens, les actionnaires, les leaders sociaux et autres. Le relationniste travaille d'ailleurs autant sur l'interne que sur l'externe, à conseiller la direction qu'à communiquer avec le public.

Les plans de relations publiques sont, eux aussi, établis pour une année avec une perspective à plus long terme encore. Mais les relations publiques sont très sensibles à ce qui se passe à l'extérieur de l'entreprise : tout événement politique ou économique est susceptible d'interférer avec l'image de l'entreprise, donc de susciter une intervention de relations publiques. Les relationnistes prétendent être une ressource indispensable pour ce qu'ils appellent la « gestion de crise ».

La communication de relations publiques est habituellement subtile. Elle consiste souvent à entretenir de bonnes relations avec les journalistes, à leur préparer des dossiers (dits « de presse »), voire à répondre à leurs demandes d'information plus précises.

Il arrive cependant que, pour faire valoir le point de vue de l'entreprise, le relationniste ait recours aux annonces « publicitaires » dans les médias de masse. Mais le message sera alors tout de même beaucoup plus « informatif », moins immédiatement persuasif.

Enfin, bien qu'étant moins souvent désignée en tant que telle, *la communication interne* est elle aussi une activité de communication du marketing : elle a pour but de susciter la participation du personnel de tout niveau et de tous les secteurs d'activité à l'effort de marketing : cadres comme simples employés, personnel des secteurs de la finance aussi bien que de la production ou du marketing. Sans oublier les actionnaires.

Il s'agit généralement de motiver le personnel. C'est donc un travail jamais achevé et toujours à recommencer, travail qui se fait en collaboration avec les responsables des ressources humaines. Bien sûr, dans un premier temps, ce sont les activités ressortissant du secteur d'activités « personnel » qui sont les premières responsables de la motivation du personnel : le salaire, les conditions de travail, les avantages sociaux et autres facteurs semblables. Mais il ne faut pas négliger les activités de communication dans cette motivation.

La communication de relations publiques [...] consiste souvent à entretenir de bonnes relations avec les journalistes.

Et tous les moyens sont utiles pour y arriver : la publicité (ex. : une campagne d'affichage intérieur — et même extérieur), la promotion (ex. : les concours pour des performances atteintes), les relations « publiques » (!) (ex. : un bulletin d'information régulier). Le but est de faire en sorte que toutes les personnes de l'entreprise se sentent dans le coup. Vous avez remarqué sur les murs des restaurants McDonald's la photo de l'employé du mois ?

La grande caractéristique de la communication interne, c'est qu'elle doit être la plus personnalisée possible : on doit mettre son équipe dans le coup. Pour cela, un plan de communication interne bien coordonné avec le plan de communication global est indispensable. Sinon, la communication interne risque d'être laissée pour compte dans le feu de l'action en oubliant que le personnel influe largement sur trois des 4P du marketing : sur la qualité du produit, sur le prix, et même sur la communication puisque le personnel est le plus crédible canal de diffusion de l'information. D'autant plus que le commerce se fait de plus en plus autour d'une notion de service plutôt que d'une notion de vente de produit.

Un certain nombre d'activités de communication sont difficiles à rattacher à l'un ou l'autre des quatre types de communication que nous venons de voir. On peut citer la publicité industrielle et ses techniques privilégiées : le catalogue, la documentation technique, les diaporamas de démonstration. Ou la communication d'État et des autres grands corps sociaux (syndicats, institutions d'enseignement et autres) qui sert surtout à diffuser des idées (on l'appelait naguère encore « propagande », mais en ces temps-ci où la propagande a plutôt mauvaise presse, on dit « publicité sociale » ou « communication sociale » — et parfois, inexactement, « marketing social »). Bref, tous ces professionnels de la persuasion publique (*professional advocates* que j'appelle « imagiciens ») conjuguent leurs efforts pour construire des « images de marque ». Jackall et Hirota (2000) expliquent dans *Image Makers* : « Les discoureurs (*advocates*) professionnels, non seulement les hommes et les femmes qui travaillent en publicité ou en relations publiques mais aussi les avocats, les lobbyistes, les consultants de toute formation, aussi bien que les gens de robe, sont partie prenante du domaine de la “prétention” : tous affichent des prétentions au nom de leurs clients. »

Par ailleurs, on fait un nouvel usage publicitaire d'anciens médias : quand Desjardins commandite un cours universitaire sur l'entrepreneuriat, fait-il de la publicité, de la promotion, des relations publiques ou de la communication interne ? Probablement tout cela à la fois. Et quand une entreprise s'associe au Festival de la crevette de Matane ? Et au Festival international de Lanaudière ? Et quand une autre recourt aux petites annonces pour atteindre un public particulier ? Quand elle affiche sur les portes de toilettes des cégeps ? Et quand une autre loue un panneau-réclame pour souhaiter bonne fête à sa directrice des ventes ? Et qu'en est-il de tous ces « nouveaux médias » que les entrepreneurs dynamiques reluquent même s'ils ne savent pas, pour le moment, ni comment ni à quelle fin les utiliser ?

Enfin, certaines annonces sont ambiguës dans leur fin : des espaces payés de relations publiques sont à toutes fins utiles de la publicité (le président Lee Iacocca de Chrysler qui parle du succès du modèle x, y ou z à ses actionnaires) ; certaines annonces publicitaires sont si « pures » qu'elles constituent sûrement une simple présence de relations publiques (on dit alors « publicité corporative » ou « publicité institutionnelle ») ; certaines promotions sont si prestigieuses qu'elles sont bien plus publicitaires qu'autre chose (ex. : Ciba-Geigy qui expédie à tous les médecins du Canada un véritable papillon exotique à partir de Tahiti). Or, l'imagination et la ruse des publicitaires est sans limites. Ces gens inventent chaque jour de nouvelles formes de publicité, des portes d'ascenseurs à l'ordinateur lui-même fourni gratuitement à condition de cliquer sur un bandeau publicitaire en haut de l'écran à fréquence convenue, ou aux échantillons fournis gratis à des cibles pour distribuer à leurs amis (*peer-to-peer promotion*).

Le marketing-mix constitue donc le fondement sur lequel s'appuient les publicitaires pour concocter leurs messages. Mais il n'en a pas toujours été ainsi. Pour la construction de leurs messages et selon le lieu et l'époque, les publicitaires se sont appuyés sur des postulats divers.

Toute publicité est susceptible d'intégrer image et texte mais ce n'est véritablement qu'à partir de la dernière décennie des années 1800, avec l'invention de la similigravure, que se produit la véritable révolution qui permet l'apparition de « l'image de masse ». Toutefois, les modes de production des images de masse sont restés à peu près les mêmes pendant la première moitié du siècle. Vers 1950, première révolution : l'image couleur devient accessible à tous ; la venue du film Ektachrome multiplie le nombre d'originaux polychromes et crée une demande pour la couleur dans les médias de masse. À la fin des années 1990, deuxième révolution ; l'arrivée de l'image numérique. Les scanners à prix accessible et les caméras numériques permettent de créer et de diffuser des images couleur à la vitesse de l'électron.

Aux fins de notre propos, distinguons quatre grands postulats qui, pendant les cent dernières années, gouvernent la mise au point des images publicitaires. Nous allons tenter de faire voir en quoi ces quatre postulats diffèrent les unes des autres ; en réalité, ils ne régissent pas seulement la fabrication des images mais aussi celle des textes car les publicités constituent un amalgame serré de textes et d'images.

Le premier postulat sur lequel s'appuie la mise au point des messages publicitaires, je l'appelle « esthético-perceptif ». Les partisans de ce postulat prétendent que les qualités essentielles d'un message sont sa capacité à stimuler le système perceptif des récepteurs et ses qualités esthétiques aptes à les émouvoir. En un mot, un bon message, c'est un message beau et original. Depuis l'origine de l'image de masse vers 1890 jusqu'à vers 1940, c'est le seul postulat qui gouverne les visualistes publicitaires, plus particulièrement en Europe où s'est développée la tradition de l'affiche. Les affichistes sont en général des artistes qui ont été formés dans les écoles de beaux-arts.

La lignée des grands affichistes publicitaires se rattache à cette école. Les représentants de la première génération de maîtres en France sont bien connus : Toulouse-Lautrec (1864-1901), Chéret (1836-1932), Caran d'Ache (1858-1909), Mucha (1860-1939), Forain, Capiello (venu d'Italie), Willette. En Angleterre, les noms célèbres sont Beardsley (1872-1898), les frères Beggarstaff (un pseudonyme) et bien d'autres. Aux États-Unis, les visualistes-vedettes sont concurrencés par les rédacteurs qui sont bien en place dans l'industrie, mais quelques-uns ont laissé un nom prestigieux : Edward Penfield du *Harper's*, Will-H. Bradley et Ethel Reed pour ne citer que ceux-là. En deuxième génération, on peut citer en France les noms de Cassandre, Paul Colin, Loupot, Carlu, Savignac, Gruau, Villemot.

Dans la perspective esthético-perceptive, ce sont les artistes qui dominent le message scripto-iconique. Leur but : accrocher l'œil par des couleurs dynamiques ou charmeuses, par des formes souples ou angulaires, la fin de l'image étant toujours d'attirer d'abord l'attention. L'affichiste français Paul Savignac affirme à qui veut l'entendre : « L'affiche est aux beaux-arts ce que le *catch* [la lutte libre] est à la lutte gréco-romaine. »

Concurremment, le rédacteur veut lui aussi faire œuvre d'art, créer « une belle annonce », car il se considère souvent comme un artiste qui sacrifie son art aux marchands pour pouvoir gagner sa croûte (un peu comme les cinéastes de Montréal qui jugent se prostituer en tournant un message publicitaire). Hélas ! selon ce premier postulat, l'essence même du message passe surtout par l'image ; le texte n'a pour but que de faire connaître la marque ou de proposer un slogan (souvent simplet du genre « Mangez du gruyère » mais parfois réussi comme « Dubo, Dubon, Dubonnet »). C'est dire que l'argumentation — visuelle ou textuelle — est réduite à sa plus simple expression. À partir de 1960, les affichistes perdent leur hégémonie au profit des publicitaires. À la fin de sa vie, l'affichiste Villemot avoue : « Nous autres affichistes, nous avons été obligés de prendre le maquis. Le pays était occupé par les armées du marketing. »

« Nous autres affichistes, nous avons été obligés de prendre le maquis. Le pays était occupé par les armées du marketing. »
(Villemot)

À la même époque aux États-Unis, les belles images sont laissées pour compte ; on recourt davantage aux photos réalistes (ou parfois au dessin d'humour). Mais, surtout, les publicités sont construites selon un deuxième postulat, le postulat « argumentationnel » qui a toujours prévalu dans la publicité américaine ; depuis 1950, il domine une grande partie des campagnes produites par les grandes agences internationales. Les adeptes de cette façon de voir sont convaincus que la communication de masse ne peut persuader que si on propose un « argument de vente exclusif », ce qu'ils appellent, à la suite du publicitaire américain Rosser Reeves (1963), un *Unique Selling Proposition* (USP). Qu'est-ce qu'un USP ? C'est une proposition vendeuse, persuasive, accrocheuse, crédible, mais qui différencie un produit de la concurrence.

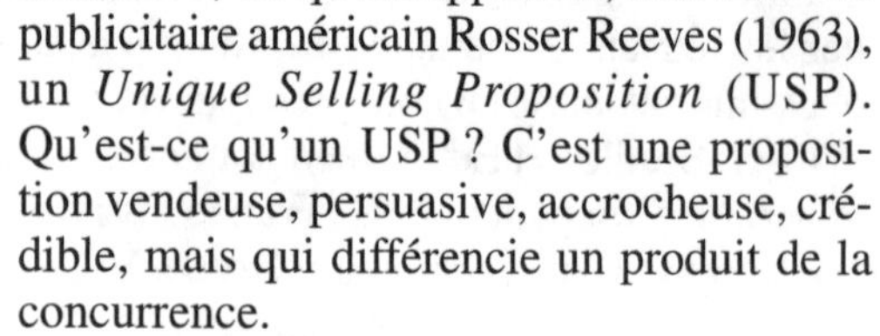

C'est vers 1940 que ce raz-de-marée emporte la publicité américaine [...] époque où les rédacteurs ont la main mise sur le monde de la publicité ; ils sont les führer de la persuasion.

Il faut dire que Reeves ne fait que nommer une façon de faire que son collègue Claude Hopkins (*Scientific Advertising*, 1927) maîtrise déjà très bien. L'image, en cette occurrence, ne sert le plus souvent qu'à illustrer bêtement ce que le titre, le thème, l'accroche, le slogan, etc., énoncent. C'est vers 1940 que ce raz-de-marée emporte la publicité américaine : on tient alors mordicus aux vertus persuasives du rationnel (pseudo !), de la logique, en un mot, de l'argument.

C'est l'époque où les rédacteurs ont la main mise sur le monde de la publicité ; ils sont les führer de la persuasion. Le texte prend donc le pas sur l'image et les visualistes sont relégués au rôle de second violon ! Le célèbre rédacteur publicitaire John Caples (1957) le dit en clair dans *Making Ads Pay* : « Parfois, ce ne sont pas des mots mais une image qui décide si les gens porteront attention ou pas à votre message. Mais l'idée de l'image est en définitive fournie par le rédacteur. » Le texte, expression concrète d'une évidence simpliste, est alors martelé dans la tête des destinataires. Le but : convaincre des avantages que promet cet USP-Ultra Simple Publicité, comme s'en moquent un peu envieusement dans *Les 10 campagnes du siècle* les publicitaires français Swiners et Briet (1978).

À peu près à la même époque et aux États-Unis encore, voit le jour le postulat « motivationnel ». D'après les tenants de cette thèse, ce qui insuffle à une publicité son efficacité, ce ne sont ni l'image ni le texte mais la « motivation » sous-jacente. La motivation, c'est la force interne qui pousse à agir dans un sens donné, ce que le publicitaire montréalais Jacques Bouchard appelle la corde sensible (*Les 36 cordes sensibles des Québécois*, 1978).

Ce sont surtout le psychologue new-yorkais Ernest Dichter (*The Strategy of Desire*, 1960) et le spécialiste de la recherche publicitaire Pierre Martineau (*Motivation in advertising*, 1957), de Chicago, qui lancent cette idée dans les milieux de l'économie-consommation. Dans l'optique motivationiste, ce qui importe au premier chef, c'est de bien retracer la sollicitation à laquelle répondent les destinataires visés. On peut dire que ce sont les psychosociologues qui gèrent alors la communication ; les visualistes ou les rédacteurs suivent dans leur sillage pour donner forme à leurs « concepts d'évocation » comme l'explique Henri Joannis (1965) dans *De l'étude de motivation à la création publicitaire et à la promotion des ventes*. On attend alors de l'image qu'elle soit principalement suggestive.

On voit donc ici s'affronter deux écoles concurrentes : les « motivationistes » et les « argumentationnels ». Les unes visent la tête, l'esprit, la raison ; les autres caressent les corps, les cœurs, l'affectif.

Cette guerre se poursuit quand, vers 1960, se dessine le postulat « sémiologique » pour lequel le littéraire français Rolland Barthes donne le coup d'envoi dans un célèbre article intitulé « Rhétorique de l'image » (*Communications*, n° 4, 1964). Le postulat sémiologique affirme que c'est la structure formelle des signes — image ou texte — qui gouverne le contenu des messages persuasifs. Ce dont il importe de s'assurer, c'est des conditions nécessaires à la transmission effective de l'information souhaitée sur le plan affectif comme sur le plan rationnel. Les iconiciens visent donc à la saturation sémantique des images qu'ils mettent au point. Pour saturer le message, il faut vérifier si tous les signes nécessaires pour transmettre le message souhaité sont présents — et si tous les signes superflus sont éliminés.

Pour réaliser des messages publicitaires répondant à ce postulat, il n'est pas suffisant d'être créatif ! Les messages doivent être passés au crible par le sémiologue (ou sémioticien) qui peut être aussi bien un théoricien qu'un praticien, un photographe qu'un dessinateur, un scientifique qu'un artiste, un littéraire qu'un visualiste, l'essentiel étant d'être capable de garantir l'adéquation « contenu souhaité = contenant fabriqué ».

Pour persuader, le message sémiologiquement saturé s'adresse à la conscience multiplan du destinataire : système perceptif, logique, esthétique, motivationnel, etc.

Voilà le chemin qu'a parcouru l'image publicitaire. Les publicitaires sont rendus au point où ils doivent à tout prix réaliser des images parfaitement efficaces ; les coûts qu'imposent les moyens de diffusion de masse l'exigent. C'est pourquoi il existe maintenant des maisons de recherche qui appliquent la méthode sémiologique en recherche marketing comme Ron Beasley-ABM Research de Toronto.

Des millions dilapidés

Des sommes énormes sont investies chaque année en publicité. Au Canada, ce sont 7,8 milliards de dollars qui ont été dépensés en l'an 2000 en publicité proprement dite dans les grands médias, une augmentation de 6,2 % sur l'année précédente. On estime que chaque Canadien doit payer près de 500 $ en publicité quand il achète des marchandises ou des services. Les dix pays où il se fait le plus de publicité sont, dans l'ordre, les États-Unis, le Japon, le Royaume-Uni, l'Allemagne, la France, le Brésil, l'Italie, l'Australie, le Canada et la Corée du Sud.

Un message de télévision [...] peut facilement coûter 300 000 $ ou davantage à produire.

Et qui sont ces annonceurs qui ponctionnent ainsi notre porte-monnaie pour nous inciter à consommer toujours davantage ? La plupart du temps, les plus gros annonceurs dans un secteur d'activité donné sont ceux qui se sont positionnés comme les leaders les plus dynamiques, ceux qui montrent le plus de profits à leurs actionnaires. Donnons quelques chiffres qui correspondent aux données disponibles pour 1999-2000.

Pour le Canada, voici *les 10 plus gros secteurs d'activité* pour ce qui est des dépenses publicitaires selon les derniers chiffres dont on dispose en 2000 (selon A.C. Nielsen) :

La publicité des magasins de détail 900 M$

Les manufacturières d'automobiles à elles seules 700 M$

Le matériel de bureau 500 M$

L'alimentation 400 M$

La finance et les assurances 350 M$

Le spectacle 300 M$

Les concessionnaires d'automobiles 250 M$

Le voyage 235 M$

La restauration 200 M$

Les médias 150 M$

Voici maintenant *les 10 plus gros annonceurs* selon les derniers chiffres dont on dispose en 2000 (selon A.C. Nielsen) :

General Motors 152 M$

Bell 95 M$

Procter & Gamble 90 M$

Rogers Communications 75 M$

La Baie 75 M$

Eaton 70 M$

Sears 70 M$

Le gouvernement du Canada 65 M$

Interbrew 65 M$

Molson 60 M$

On peut aussi poser la question des dépenses publicitaires faites au Québec seulement. Les *10 principaux annonceurs* (les derniers chiffres dont on dispose sont de 1994) :

1. General Motors Canada : 30 M$ CAN
2. Gouvernement du Québec : 25 M$ CAN
3. BCE (Bell Canada) : 18 M$ CAN
4. Procter & Gamble : 16 M$ CAN
5. Chrysler Canada : 15 M$ CAN
6. Groupe Thomson (magasins La Baie) : 15 M$ CAN
7. Sears : 13 M$ CAN
8. Gouvernement du Canada : 12 M$ CAN
9. Les compagnies Molson (bière) : 11 M$ CAN
10. Eaton (magasins) : 10 M$ CAN

Ces montants peuvent sembler énormes et doivent donc permettre de faire pleuvoir des milliers en publicité sur les citoyens. Mais ce n'est pas le cas car les coûts d'accès aux médias de masse sont très élevés. Quand General Motors ventile ses 30 millions par marque, par marché, par saison, l'agence de publicité se retrouve chaque fois devant un « petit » budget de quelques centaines de milliers de dollars.

Il faut bien se rendre compte qu'en 2001 un message, calculé pour atteindre disons 80 % de la population une quinzaine de fois, et diffusé à la télé dans l'ensemble du Québec francophone et anglophone, coûte un demi-million de dollars. Diffusé sur le marché de Montréal francophone seulement, il en coûte encore quelque chose comme 225 000 $ et, sur le marché de la ville de Québec, plus ou moins 60 000 $. Une seule diffusion-réseau d'un message de 30 secondes dans une série à succès comme *La P'tite Vie* coûte 35 000 $. Durant le *Téléjournal* de Radio-Canada, elle coûte environ 5 000 $.

Le même message diffusé à la radio coûte près de 200 000 $ pour l'ensemble du Québec francophone et anglophone ; diffusé sur le marché de Montréal francophone seulement, il en coûte plus ou moins 75 000 $ et, à Québec, plutôt 25 000 $.

Les messages électroniques sont les plus coûteux ; ce ne sont donc pas tous les annonceurs qui peuvent y accéder. D'autant plus que les meilleures plages d'écoute sont achetées en vrac par les grandes agences ou les grands annonceurs. Les prix mentionnés ici d'ailleurs ne comprennent pas les coûts de production : un message de télévision qui utilise les dernières techniques cinématographiques peut facilement coûter 300 000 $ ou davantage à produire.

Les médias imprimés sont moins coûteux ; un petit annonceur peut se prévaloir d'espaces plus réduits à prix abordable. Mais ce n'est toujours pas donné : pour soumettre l'ensemble des québécois francophones au moins cinq fois à une annonce de quotidien d'un quart de page en noir et blanc, il en coûte environ 50 000 $.

Une pleine page le samedi, en noir et blanc, coûte :

- dans *La Presse* : 20 000 $
- dans *Le Journal de Montréal* : 10 000 $
- dans *Le Devoir* : 6 000 $
- dans *Le Soleil* : 8 000 $
- dans *Le Journal de Québec* : 4 500 $

Le quotidien canadien qui a le plus fort tirage est le *Toronto Star* avec 700 000 exemplaires le samedi ; une seule insertion d'une page couleur y coûte 60 000 $.

Le coût des insertions dans les pages des périodiques est fonction du tirage bien sûr, mais aussi de leur spécialisation : plus un périodique est sélectif, plus le coût par lecteur est élevé. Une pleine page en quatre couleurs coûte :

- dans *L'Actualité* : 14 000 $ (le plus fort tirage des magazines d'intérêt général, soit 180 000 exemplaires) ;
- dans *Les Affaires*, *Châtelaine* ou *Coup de Pouce* : environ 10 000 $.

Le périodique qui a le plus fort tirage est le *Reader's Digest/Sélection* : 1,2 million d'exemplaires en anglais et 240 000 exemplaires en français ; une page couleur coûte 30 000 $ dans l'édition anglaise et 10 000 $ dans l'édition française.

Les entreprises dilapident donc beaucoup d'argent pour nous persuader d'acheter leurs produits. C'est un gaspillage refilé aux consommateurs... d'autant plus que John Wanamaker, le fondateur du célèbre grand magasin de Philadelphie, admettait : « Je sais que la moitié de mon budget en publicité est gaspillée en vain, mais malheureusement je ne sais pas quelle moitié. » Or, les rationnels gens d'affaires sont tout de même d'accord pour « investir » en publicité : en Amérique, entre 1980 et 2000, les dépenses publicitaires ont quadruplé. Si bien que, si l'on ajoute l'emballage et d'autres formes de communication du marketing, c'est probablement plus de 3 000 $ par année qu'une famille de quatre personnes doit consacrer pour payer la publicité qui lui est destinée.

Les techniques publicitaires

Les publicitaires se précipitent toujours sur les trouvailles des chercheurs qui peuvent les appuyer dans leur travail de persuasion. Au début du siècle, le psychologue Walter Dill Scott (1908) publie probablement le premier ouvrage qui a suscité l'engouement des publicitaires : *The Psychology of Advertising* ; l'ouvrage explique « le pouvoir de la suggestion ». C'est là une première incursion dans le domaine des sciences humaines ; par la suite, le monde de la publicité développe sans doute les plus efficaces techniques de persuasion de masse. On peut comprendre pourquoi : la publicité est le porte-parole de l'économie de consommation ; cette branche de l'économie implique des milliards de dollars. Influencer les consommateurs pour un seul point de pourcentage de population d'un marché donné engendre des revenus qui totalisent des centaines de millions de dollars. Les gens d'affaires ont vite compris qu'investir dans le développement de la communication efficace est une décision rentable.

Les publicitaires travaillent « au pif » mais les chercheurs... cherchent à expliquer comment fonctionne le changement d'attitude.

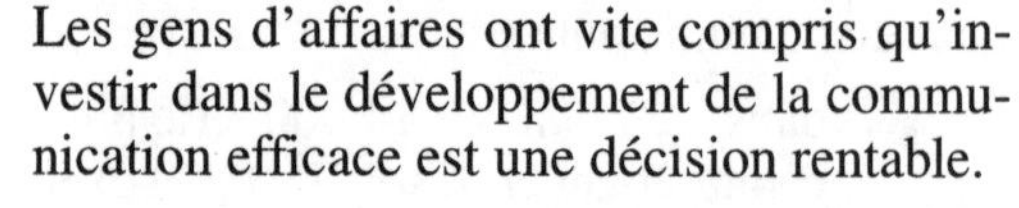

Aussi, chaque année, ce sont des centaines de millions de dollars qui sont ingérés dans des recherches psychosociales de toute nature. Les sociétés de sondages travaillent à forfait pour assembler des données statistiques sur les consommateurs ; des maisons spécialisées « testent » les messages publicitaires avant ou après leur diffusion. Pour avoir une idée à quel point le raffinement de l'analyse est poussé, on peut jeter un coup d'œil sur un tout petit ouvrage intitulé *Signs for Sale* (Beasley, Danesi et Perro, 2000). Toutes ces recherches finissent par produire une masse colossale d'information que les vendeurs de tout crin utilisent pour mieux persuader les citoyens que leurs produits répondent à leurs « besoins ».

Par ailleurs, le public voit l'originalité comme une caractéristique de la publicité. « Ah ! que c'est bon ! N'est-ce pas mignon ? Que c'est original ! » Oui, la publicité est séductrice mais, pour le publicitaire, elle est avant tout une stratégie, une stratégie de « motivation » des consommateurs, une stratégie de persuasion. C'est là la force de l'agence de publicité. « Un ethnologue qui chercherait à saisir l'âme d'une population y trouverait le commentaire souvent très juste d'un observateur privilégié, à savoir l'agence de publicité : témoin dont le métier est de connaître à fond ce qui motive une population donnée » résument Haineault et Roy (1984) dans *L'inconscient qu'on affiche*.

Toutefois, le publicitaire ne peut arriver à ses fins qu'en établissant une stratégie qui se déroule par étape. Nous allons donc expliquer maintenant comment les publicitaires fabriquent leurs messages. Comme il ne s'agit pas ici d'un texte technique, l'explication se présentera forcément sous forme d'esquisse grossière.

La première des étapes du procédé est d'attirer l'attention. C'est à cette étape que l'originalité joue : la surprise, l'horreur, l'humour ou la beauté sont des moyens de briser le mur du « bruit ambiant » et d'atteindre la conscience perceptuelle des destinataires. Mais attirer l'attention ne suffit pas. C'est pourquoi les marketers en sont venus à adopter un « procédure publicitaire » dont l'efficacité a été éprouvée au fil du temps. C'est cette procédure que nous allons examiner maintenant à l'intérieur de cinq courtes sections.

Une fois donc l'attention obtenue, il faut expliquer son point de vue (celui de l'annonceur), surprendre par une donnée nouvelle, créer un déséquilibre dans l'univers perceptuel du destinataire, bref, réussir à passer son message, à persuader, c'est-à-dire amener le destinataire à accepter ce nouveau point de vue, à changer son attitude. Or, on le verra dans une première section, il existe au moins trois manières de persuader.

Encore faut-il savoir exactement de quoi l'on veut persuader les destinataires de nos messages ; c'est ce que les publicitaires appellent l'objectif de communication ou, plus précisément, l'objectif publicitaire (deuxième section).

Même si l'on sait de quoi on veut persuader, le langage utilisé est d'autant moins efficace que l'on veut parler à tout le monde en même temps ; c'est pourquoi les publicitaires s'efforcent de ne viser qu'une seule cible à la fois (troisième section).

Et puis, les publicitaires s'astreignent toujours à ne pincer qu'une seule corde sensible, à ne solliciter qu'une seule motivation : celle qui à coup sûr fera réagir les cibles visées (quatrième section).

Finalement, il faut que le publicitaire réussisse à enraciner les éléments de sa persuasion assez profondément pour que le destinataire agisse de manière conséquente dans sa vie de tous les jours ; c'est ici qu'intervient la nécessité de répéter (cinquième section).

Trois manières de persuader

Faire de la publicité, persuader, c'est tenter d'influencer les attitudes des destinataires. Plusieurs théories s'affrontent pour expliquer le fonctionnement de la persuasion. Les publicitaires travaillent « au pif » mais les chercheurs... cherchent à expliquer comment fonctionne le changement d'attitude. Schématiquement, on peut réduire la multiplicité des modèles, tous plus perfectionnés les uns que les autres, à trois manières de persuader.

Contradictoirement, la première manière essaye davantage d'influencer les comportements plutôt que les attitudes. Behavioriste, elle présume que la persuasion est le résultat de la répétition ; il suffit de matraquer une population pour qu'un nom de marque s'incruste dans la tête des cibles et que celles-ci réclament cette marque au moment où elles ressentent un besoin pour un tel produit. C'est l'expérience du chien de Pavlov qui salive au simple son d'une cloche parce qu'il « imagine » le morceau de viande juteux qui suivra (*Les Réflexes conditionnés*, 1962).

La deuxième manière est profondeuriste. Elle émarge des réflexions de l'éminent docteur Freud qui explique que, oscillant entre Éros (l'instinct de survie) et Thanatos (l'instinct de destruction), l'être humain agit toujours en fonction de ses besoins instinctuels inconscients ; il suffit donc au publicitaire de titiller ces besoins-là pour intéresser les cibles à un produit donné (*Beyond the Pleasure Principle*, 1961).

La troisième manière est « équilibriste » en ce qu'elle explique la persuasion plutôt par le changement dans l'équilibre psychologique des destinataires. C'est ce que démontre Leon Festinger dans son modèle de « dissonance cognitive » : chaque individu se comporte selon l'équilibre interne qu'il s'est créé ; il suffit donc de lui communiquer de nouvelles informations pour le déséquilibrer ; afin de rétablir un nouvel équilibre interne, l'individu évalue cette information pour l'intégrer dans son univers (*Theory of Cognitive Dissonance*, 1957). On peut affirmer que toute persuasion s'articule autour de ces trois approches, chacune fondée sur un grand courant de la psychologie sociale.

L'approche behavioriste. John Watson montre (avec Pavlov, Skinner et d'autres) que l'on peut influencer les gens en induisant des comportements de manière automatique (type récompense-punition) (*Behavior : and introduction to comparative psychology*, 1914). Après l'obtention de son doctorat en 1903, Watson enseigne la psychologie à l'Université de Chicago et à l'Université John Hopkins de Baltimore jusqu'à ce que le scandale de son divorce lui fasse perdre son poste en 1920 ; c'est alors qu'il propose son approche au monde de la publicité où il a été actif jusqu'à sa retraite en 1946. Il entre tout de suite dans la plus grande agence de publicité, J. Walter Thompson, dont il devient vice-président (il quitte pour une agence concurrente en 1935). L'univers psychologique individuel n'intéresse pas Watson ; il ne philosophe pas, n'explique pas ; il décrit des faits par l'observation objective de la réalité. Il fait ce que l'on appelle de la psychologie expérimentale, une psychologie de laboratoire (celle des fameuses souris !), dont les résultats s'expriment de manière statistique. Ce fut longtemps le courant dominant dans les départements de psychologie américains.

En publicité, l'approche behavioriste s'appuie sur une des trois lois de l'apprentissage, le conditionnement opérant, qui joue sur la répétition (les deux autres lois sont l'ordre temporel et l'extinction). Pour arriver à un effet, on doit donc répéter sans cesse le message. Les campagnes de publicité pour les produits qui sont achetés impulsivement exigent une forte répétition ; c'est pourquoi Coke, voyant ses marchés décliner, annonce au printemps 2001 qu'il augmente ses budgets publicitaires de près de 50 %.

Dit simplement, il s'agit, pour créer dans la tête des destinataires une empreinte favorable au produit, d'associer suffisamment souvent une situation heureuse au nom de marque. L'effet désiré, c'est d'amener ce nom *top of mind* dans la tête des cibles. On a démontré en effet que les consommateurs ne peuvent retenir que deux ou trois noms de marques dans une catégorie de produits donnée. La marque qui réussit à se hisser en tête de liste a le plus de chance d'être choisie au moment où le consommateur doit prendre une décision d'achat.

Les produits qui visent de larges publics — surtout ceux qui sont offerts à coût minime, dont l'achat est impulsif et dont le besoin se fait sentir cycliquement — recourent à cette approche. C'est le cas, par exemple, des boissons gazeuses et des loteries. Grosso modo, l'achat des billets de loterie est directement proportionnel à la quantité de publicité diffusée.

Les recherches behavioristes ont aussi démontré que *les observateurs* sont eux aussi influencés par le conditionnement, transformés « par imitation ». C'est pourquoi les publicitaires se servent tant les porte-parole qui utilisent un produit et qui deviennent ainsi, pour les spectateurs, des modèles à imiter.

C'est de cette façon que fonctionnent les pubs des pétilleurs : répétez à coup de millions de dollars le nom Coke et vous obtenez une marque exigée par tous parce qu'elle est *top of mind*. Tchakhotine

Le prix contre l'image de marque

Les publicités pour les produits indifférenciés misent toutes sur l'image de marque. Ici, on donne, dans un premier temps, l'impression que le prix constitue l'argumentation principale. Mais le publicitaire sait bien que Tab sera préféré à d'autres marques pour son **look** ***de liberté et de jeunesse. Les motivations physiologiques étant les mêmes pour tous les humains, on peut comprendre que les transnationales soient tentées de faire du*** **global marketing***, et de diffuser une même campagne de publicité à l'échelle de la planète.***

(1939), qui était un disciple de Pavlov auquel il a d'ailleurs dédié son ouvrage, explique dans *Le viol des foules par la propagande politique* : « Ce sont les mêmes règles techniques que dans le dressage ; mais, comme on a affaire ici à des êtres humains, on utilise des systèmes de réflexe conditionné d'un plan plus élevé. »

L'approche profondeuriste. Si le behavioriste assume que l'humain réagit à son environnement, Freud explique dans *Beyond the Pleasure Principle* qu'il agit plutôt en fonction de forces internes obscures, les instincts. Beaucoup de nos comportements de consommation sont irrationnels vus de l'extérieur ; nous cherchons des arguments rationnels (la rationalisation) pour les expliquer, sachant bien que les vraies raisons sont floues.

Beaucoup de nos comportements de consommation sont irrationnels vus de l'extérieur.

Les publicitaires cherchent justement à déceler ces forces instinctuelles qu'ils appellent des motivations, ce que le publicitaire Jacques Bouchard a appelé les « cordes sensibles ». Effectivement, pour les publicitaires, les objets se vendent bien davantage en mettant en évidence leur valeur symbolique qu'en argumentant sur leur valeur d'usage. Les consommateurs achètent — la plupart du temps sans s'en rendre vraiment compte — les vêtements qui leur permettent de s'intégrer à leur classe sociale, habitent les maisons qui reflètent leurs valeurs, se déplacent dans des véhicules qui affichent l'image qui les représente. Et c'est leur psyché profonde qui les guide dans ces choix.

Louis Cheskin reprend certaines des connaissances de la psychologie des profondeurs pour mettre au point des emballages plus attrayants. Ainsi, nous savons que la forme influence inconsciemment nos choix. Cheskin (1971) raconte dans *Marketing : le système de Cheskin* qu'il a réalisé une recherche dans laquelle il présente deux pots d'une même crème de beauté ; une seule différence démarque les pots : l'emballage du premier porte des dessins triangulaires, celui du deuxième, des dessins circulaires. Eh bien, 80 % des femmes interviewées trouvent que la crème du pot aux dessins circulaires a une meilleure consistance, est plus facile à utiliser et est d'une qualité supérieure à celle portant des dessins triangulaires.

Le psychologue Robert-L. Fantz a voulu démontrer à sa façon l'influence des formes sur les comportements... des poulets. Il a laissé picorer 112 poulets sur des objets de formes diverses, des plus rondes aux plus aiguës ; il a découvert que, pendant une période de quarante minutes, la sphère recevait plus de mille coups de bec alors que la pyramide triangulaire n'en recevait qu'une centaine (*Scientific American*, nº 204, 1961). Les poulets ne sont donc pas seulement motivés par la faim ; ils sont attirés par la forme des contenants. Cela voudrait-il dire que les codes génétiques ou les structures biologiques prédéterminent les comportements et, le cas échéant, les attitudes, les goûts, etc. ? C'est en tout cas une éventualité à ne pas sous-estimer en publicité — même si l'on ne s'adresse pas à des poulets !

On connaît aussi les préférences individuelles pour les couleurs ; bien sûr, il existe des variations de goût dues à des facteurs de milieu, d'éducation, d'instruction ou d'âge. Malgré cela, le bleu semble la couleur préférée universellement, surtout si c'est un bleu profond et saturé comme le bleu officiel du gouvernement du Québec. Le psychologue H. J. Eysenk a établi le sommaire des recherches faites par 40 statisticiens dans des situations similaires sur 21 000 sujets dans divers pays ; il conclut que l'ordre des préférences est 1) le bleu ; 2) le rouge ; 3) le vert ; puis le violet, l'orangé et le jaune (*American Journal of Psychology*, juillet 1941). Mais, quand on pondère les résultats avec le nombre de ceux qui rejettent le rouge, on constate que les conclusions sont, à peu de chose près, unanimes : la couleur préférée est le bleu, suivi du vert.

Évidemment, l'essentiel du fonctionnement des motivations profondes demeure inconnu des publicitaires qui, très généralement, y vont au... pif. Et souvent avec succès !

L'approche équilibriste. L'idée fondamentale de la psychologie de l'équilibre est la suivante : l'être humain désire vivre dans un état d'équilibre psychologique idéal (une homéostasie), équilibre que nous échafaudons en donnant une cohérence, un sens, à l'ensemble des sensations, des connaissances et des sentiments que nous avons emmagasinés. Cet équilibre risque en permanence d'être brisé par une nouvelle information ; effectivement, si les nouvelles connaissances ne « sonnent » pas bien avec les connaissances actuellement engrangées par un individu, il se produit ce que Leon Festinger (1957) appelle dans *Theory of Cognitive Dissonance*, une « dissonance cognitive ». Dans un tel cas, on parle aussi, selon le théoricien auquel on réfère, de congruité, de consistance ou d'équilibre.

En effet, la publicité essaie souvent de créer une dissonance, de créer un malaise chez les destinataires, de leur laisser entendre qu'il n'agissent pas « comme quelqu'un de bien » — comme un consommateur moyen. « Sans assurance, vous laisseriez vos enfants orphelins d'un père sans cœur ! » laisse entendre la publicité.

Quand un individu se retrouve en situation de dissonance cognitive, il peut recourir à trois façons de diminuer la dissonance :

- il peut changer son attitude et enclencher un comportement correctif. Nouveau comportement : « Je me sens mal à l'aise : il est vrai que je devrais faire quelque chose... cotiser pour une police. »
- il peut tenter d'atténuer la portée de l'information déséquilibrante. « J'ai 40 ans ; je ne suis tout de même pas en train de mourir. »
- il peut rechercher une information qui contredira l'information déséquilibrante : « Regarde ce qu'on écrit ici : "La meilleure façon d'assurer l'avenir de ses enfants, c'est de les faire instruire". »

C'est sans doute ce modèle théorique qui explique que les consommateurs « ne voient pas » les annonces qui peuvent trop gravement compromettre leur équilibre interne, qu'ils évitent même les circonstances qui pourraient amener à affronter de l'information déséquilibrante — ce que les publicitaires appellent l'« exposition sélective ». C'est pourquoi aussi, en pubicité, la peur est-elle utilisée avec parcimonie.

Les théoriciens forgent des modèles schématiques pour expliquer des réalités complexes, mais la persuasion publicitaire n'est pas aussi facile que les théories semblent le laisser entendre : persuader implique d'amener les destinataires à poser une série de petits pas, chacun pouvant se transformer en ornière dans laquelle s'embourbera la persuasion.

Aussi les scientifiques « durs » se penchent-ils maintenant sur la question pour tenter d'identifier des modèles « mécanistes » qui dévoileraient des moyens de persuasion parfaitement efficaces, voire machinaux. Ainsi, le laboratoire de neuropsychologie Mind of the Market, rattaché à la célèbre Harvard Business School, cherche à savoir précisément, grâce à la tomographie par émission de positons, comment la publicité agit sur le cerveau des consommateurs qui sont en train d'acheter. « Notre intention n'est pas de manipuler les goûts de nos semblables, affirme sans ciller le professeur de neuropsychologie, Stephen Kosslyn, nous sommes simplement les premiers à mettre au service des entreprises toutes les connaissances fondamentales sur le rôle des zones cérébrales dans les émotions et le comportement. Notre travail, encore très préliminaire, devrait à terme changer radicalement les techniques de marketing.» (*Sciences et Avenir*, septembre 1999).

Bien ! pour les marketers, il s'agit de persuader, peu importe le moyen. Mais, au fait, persuader de quoi ?

Persuader de quoi ?

Pour mettre au point des publicités efficaces, il faut avoir clairement en conscience les buts que l'on désire atteindre : la publicité cherche toujours à persuader, mais à persuader de quoi ? Si l'on demande à un chef de PME dans quel but il veut faire de la publicité, la première réponse qui lui vient à l'esprit, c'est : « Vendre ! » Mais, je le rappelle, « vendre » n'est pas la responsabilité propre de la publicité ; c'est à l'ensemble du marketing-mix qu'incombe la tâche de vendre.

Le but particulier de la publicité est de changer, de faire évoluer des attitudes. Cette évolution peut prendre diverses directions, ce pour quoi l'on peut assigner des tâches diverses à la publicité. La tâche générique de la publicité est d'établir une bonne communication entre l'entreprise (ou la marque) et le public, d'imposer ce nom de marque dans l'esprit des clients actuels ou potentiels, bref, de faire connaître le nom.

Il est bien plus difficile de confirmer une intention d'achat chez les destinataires que de simplement augmenter la notoriété.

Mais « faire connaître » peut recouvrir plusieurs objectifs, parfois contradictoires. On peut faire connaître l'existence d'une marque simplement, ou une caractéristique propre au produit, ou un usage particulier... ainsi de suite. Bref, les tâches que l'on peut assigner à la publicité peuvent varier. On peut lui demander de :

- d'augmenter la notoriété de la marque

- de changer la perception de la marque
- d'ouvrir un nouveau segment de marché à la marque
- de sensibiliser à de nouvelles occasions de consommer cette marque
- d'augmenter la quantité par achat
- d'allonger la période de consommation
- d'inciter à l'achat immédiat
- d'assurer la confiance des intermédiaires
- etc.

Selon qu'il poursuit l'un ou l'autre de ces objectifs, le publicitaire élabore une campagne de publicité avec un son de cloche particulier. Ainsi, s'il veut provoquer un comportement d'achat immédiat, il investira davantage d'argent en promotion qu'en publicité proprement dite. S'il veut augmenter la notoriété de la marque, il doit investir beaucoup plus massivement en diffusion. S'il veut plutôt ouvrir un nouveau segment de marché, il doit être plus minutieux dans le choix des médias. Premier point donc : il faut préciser exactement la tâche que la publicité doit exécuter.

Un annonceur peut décider de confier à la publicité un rôle plus difficile qu'un autre : ainsi, il est bien plus difficile de confirmer une intention d'achat chez les destinataires que de simplement augmenter la notoriété. Faire apercevoir sa publicité est facile : il suffit d'être original ou, mieux encore, farfelu ; et tout le monde remarquera une campagne. Mais, pour persuader, pour changer une attitude, voire pour amener à un comportement d'achat effectif, c'est autre chose.

Le publicitaire peut élaborer une campagne de publicité de manière à ce qu'elle poursuive des tâches diverses. De la plus superficielle à la plus profonde, voici quelques-unes de ces tâches :

- éveiller l'attention
- créer une notoriété durable
- transmettre de l'information objective
- emporter la conviction rationnelle (convaincre)
- amener à l'adhésion affective (persuader)
- travailler à la mémorisation

- titiller le désir
- susciter un besoin réel
- déclencher l'intention d'achat
- commander l'achat effectif.

Évidemment, la notoriété à elle seule ne garantit pas, par exemple, « la conviction », « l'achat effectif », et ainsi de suite : encore une fois, un message publicitaire remarqué, une campagne connue, un slogan sur toutes les lèvres n'indique pas qu'une publicité est réussie. Il faut aussi prendre conscience que, plus on veut agir profondément, plus il faut mettre de poids publicitaire, ce qui se chiffre en dollars.

Il y a quelques années, Gillette a payé cher une erreur de compréhension quand il a lancé son désormais célèbre rasoir Trac II avec une campagne de publicité de plusieurs dizaines de millions de dollars. La recherche avait démontré que tous les consommateurs appréciaient le Trac II en raison de sa « double lame » qui rasait plus ras. Mais quand, dans la publicité, on s'est mis à parler de cette « nouveauté ! », personne ne s'est précipité au magasin du coin pour acheter un Trac II. Pourquoi ? Parce que chacun pensait : « Un rasoir à deux lames, mon grand-père en avait un ! Qu'est-ce que Gillette a tant à se vanter ? » Jusqu'à ce que Gillette se rende compte de son erreur et change sa campagne pour expliquer avec dessins et flèches à l'appui : ce rasoir porte deux lames *du même côté* qui rase, la première lame tirant le poil alors que la deuxième le sectionne au passage. Alors seulement le consommateur a compris ce qu'on voulait dire par « rasoir à double lame ». En 2000, Gillette a dépensé 225 millions de dollars dans 29 pays pour lancer son rasoir Venus à *trois* lames pour femmes.

La notoriété ne suffit donc pas ; même si le grand public répète une ritournelle (*jingle*), cela ne veut pas dire que le publicitaire approche de son objectif. L'originalité n'est pas davantage la qualité essentielle d'une campagne de publicité. Un exemple ? Un jeune créatif vient me présenter l'idée géniale, dit-il, qu'il a concoctée pour une grande marque, disons, Coke. Je lui explique patiemment : « Cela me surprendrait que cette idée, qui semble si originale de prime abord, s'inscrive efficacement dans la stratégie de Coke et qu'elle ait pour eux une grande valeur. Ce serait en effet un hasard inespéré que cette idée travaille dans le sens de l'objectif visé (qu'elle fasse faire un pas dans la bonne direction !), qu'elle sollicite la motivation la plus persuasive, qu'elle s'adapte au média le meilleur... qu'elle questionne efficacement la cible visée. » Bref, selon que le publicitaire poursuit un objectif ou un autre, il fabrique des messages différents.

Viser une seule cible

En marketing, il n'y a pas de recette gagnante à coup sûr, seulement des recettes particulièrement recherchées par le public que l'on vise : ragoût (de pattes), ou Involtini Imbottiti alla Romana (avec pâtes), tout dépend du client ! Le profane imagine toujours que la publicité s'adresse à tout le monde ; c'est rarement le cas. La bonne publicité vise toujours un public particulier. Un message qui paraît choquant aux aînés est peut-être positivement reçu par les jeunes ; une publicité qui paraît sexiste aux yeux des femmes sera perçue comme simplement humoristique par les hommes, ainsi de suite. C'est pourquoi les publicitaires ne cherchent toujours à viser qu'une seule cible, adaptant ensuite leurs concepts à cette cible.

Pour concevoir une publicité efficace, il faut donc clairement déterminer quel est le segment de marché, quelle est la cible que l'on vise. Bien sûr, aucun commerçant ne refusera un client, mais ce qu'il lui faut arriver à repérer, c'est son « client type », celui qui constitue sans doute 80 % de ses revenus, comme l'a démontré la Loi de Pareto du 80/20 en économie (Vilfredo Pareto est un sociologue et économiste italien de la fin du siècle dernier qui a montré que 80 % des résultats provenaient de 20 % des efforts). C'est cette cible que le marketing-mix convoite et que la publicité vise. Même avec ses mille millions de dollars de publicité annuelle, Procter & Gamble ne destine pas Camay, Zest, Ivory ou Coast à tout le monde et à n'importe qui. La publicité de chaque marque vise une personne type différente ; pour chacun de ces savons, on a concocté un marketing-mix particulier et la publicité vise donc une cible particulière.

Deux types de considérations servent à définir une cible publicitaire : les facteurs traditionnels et les indices relatifs aux valeurs.

On connaît les principaux facteurs traditionnels, dits socio-économiques, de segmentation des cibles :

- le territoire géographique
- l'environnement (urbain, rural)

- l'âge
- le sexe
- la langue
- le revenu annuel
- le niveau d'instruction

Les facteurs socio-économiques sont utiles mais les marketers cherchent à distinguer de plus en plus subtilement les publics cibles en recourant à des indices relatifs aux valeurs des gens, indices dits psychographiques. En effet, les comportements éventuels des consommateurs sont, semble-t-il, mieux révélés par la psychographie que par les facteurs traditionnels. Pour circonscrire l'attitude type d'un public cible, l'idéal est donc de connaître le profil psychographique des « acheteurs naturels d'un produit » ; or il semble que c'est la mentalité plus ou moins ouverte face à la vie en général qui révèle le mieux le profil psychographique et, corollairement, l'attitude que les consommateurs sont susceptibles d'adopter face à un produit donné.

Certaines grandes sociétés disposent de budgets de recherche sociale importants ; ils tentent alors de cerner les *life-styles* comme on dit en France, les profils psychographiques de leurs consommateurs. Les recherches psychographiques réalisées autour de leur produit font alors état de données complètes : on interview des centaines de personnes à qui l'on pose des dizaines, voire des centaines de questions, ce qui donne des centaines de milliers de renseignements à recouper. Cela prend des semaines, des mois ; et il en coûte facilement plusieurs dizaines de milliers de dollars. Aussi, peu d'entreprises peuvent s'offrir ce Cadillac de la recherche.

L'idéal est donc de connaître le profil psychographique des « acheteurs naturels d'un produit ».

D'autres entreprises se rabattent sur une procédure générique comme la « comportementalité » qui permet d'obtenir un portrait psychographique schématique des acheteurs naturels d'un produit grâce à un test simple. Le test permet de calibrer l'échelle des valeurs des répondants sur quatre valeurs essentielles qui révèlent finalement leur « ouverture au changement ».

Comme le rapporte Cossette (1976) dans *Le Québécois se fend en quatre, la comportementalité et la segmentation des marchés*, les recherches faites à la grandeur du Québec ont permis de repérer chez les Québécois quatre comportementalités types :

- *les inertes*, 45 % des gens : ces personnes sont des traditionalistes enragés tant dans leurs relations personnelles que dans leurs comportements d'achat ; on ne peut espérer les voir s'intéresser à quelque chose de nouveau.
- *les amovibles*, 30 % des gens : ces personnes sont un peu moins rigides, elles sont prêtes à changer... au moins pour ce qui concerne leurs enfants : ils rêvent de les voir accéder à une classe sociale mieux considérée.
- *les mobiles*, 15 % des gens : ces personnes sont facilement influencées par les courants sociaux, les modes, mais sans que cela ne modifie beaucoup leur échelle de valeurs qui est axée davantage sur le paraître que sur l'être.
- *les versatiles*, 10 % de la population : ces personnes sont les leaders d'opinion, elles sont toujours à l'affût des idées nouvelles, sont prêtes à modifier leurs attitudes profondes, leur échelle de valeurs.

Bien sûr, il y plus de chances que les versatiles soient plus instruits, plus riches, plus jeunes mais l'instruction, la richesse ou la jeunesse ne sont pas des critères révélateurs. Prenons un exemple : le Premier ministre doit compter avec les adeptes Pro-Vie quand il étudie la politique d'avortement. Ces gens sont-ils peu instruits, pauvres ou âgés ? Ce groupe d'activistes n'est sans doute pas homogène si l'on se base sur les critères traditionnels qui ne sont pas les plus révélateurs pour la communication persuasive. L'indice de comportementalité l'est davantage : les adeptes Pro-Choix de l'avortement libre sont sans doute des personnes versatiles/mobiles, instruites ou pas, riches ou pas, jeunes ou pas. Et celles-ci sont sans doute les mêmes que les clients de Roche-Bobois, des versatiles/mobiles ; riches, elles se précipitent sur la paire de causeuses en cuir italien à 15 000 $ l'unité ; pauvres, elles se contentent de la chaise pliante dernier design.

Naguère encore, le publicitaire ne pouvait choisir un média qu'en fonction des données sociodémographiques, mais depuis quelques années il dispose de données de plus en plus complètes sur les consommateurs : l'informatique permet aujourd'hui d'assembler des masses d'information pertinentes à partir de l'utilisation des cartes de crédit, de la navigation sur Internet et de maintes autres bases de données. Des entreprises comme Equifax se spécialisent dans l'assemblage de telles données et dans leur revente aux entreprises. On en vient à savoir que les aînés qui visitent l'Europe sont de grands lecteurs (de romans historiques, particulièrement), qu'ils aiment s'inscrire à des cours universitaires, qu'ils préfèrent telle ou telle chose... ainsi de suite. Information précieuse pour les publicitaires !

Cette segmentation des cibles devient de plus en plus fine. Ainsi, « les jeunes » ne constituent plus une cible assez raffinée pour les marketers d'aujourd'hui. Paul Kurnit de l'agence spécialisée Kid Thing de New York explique : « Avant, nous considérions les enfants du préscolaire comme devant être visés par l'intermédiaire de la mère. Aujourd'hui, les bébés s'intègrent à l'espace [publicitaire] dit des enfants » (*Advertising Age*, 12 février 2001). En réalité, le publicitaire considère désormais qu'il existe six (*sic*) segments de marchés chez les jeunes : nouveaux-nés jusqu'à deux ans, les 3-5 ans, les 6-8 ans, les 9-12 ans appelés « les *tweens* », les 13-15 ans et les 16-18 ans.

Quant à l'assaut des femmes comme cible publicitaire, elle aussi va se raffinant : bien qu'elles ne forment que 50 % de la population, les femmes assument, selon certains experts, 80 % des décisions d'achat des biens de consommation. Les publicitaires se pourlèchent les babines d'autant plus que les femmes disposent d'un revenu discrétionnaire important : aux États-Unis, les ménages qui gagnent un revenu supérieur à 600 000 $ sont dirigés déjà à plus de 40 % par des femmes ; et dans 22 % des foyers à deux revenus, ce sont les femmes qui gagnent davantage que leur conjoint. C'est pourquoi la médiatique Faith Popcorn (un nom de plume pour une star du marketing !) a donné comme titre à son dernier best-seller : *EVEolution* (2001). Les concepteurs publicitaires sont en train d'affûter leur plume rose !

Ce qu'il faut retenir de tout cela, c'est que le publicitaire ne peut viser qu'une seule cible : selon qu'il s'adresse aux inertes ou aux versatiles, à un segment de marché plutôt qu'à un autre, il n'adopte pas le même ton, ne recourt pas aux mêmes arguments et, évidemment, ne diffuse pas dans le même média. Bien avoir en tête son public cible permet au publicitaire d'adopter un langage plus persuasif.

Créer, c'est motiver

Le grand public voit la publicité comme un lieu de création, un domaine où des jeunes pleins d'imagination font les 400 coups (de bons coups !). Mais ce n'est pas comme cela que ça se passe. Quand il s'agit de publicité, créer, c'est « motiver » les cibles visées. En effet, les publicitaires comprennent rapidement que la motivation est la clé de la persuasion et, à terme, de la vente. Dès le début du siècle, les publicitaires font appel aux psychologues pour retracer les motivations. Déjà en 1911, le psychologue Walter Dill Scott explique dans *Influencing Men in Business* que « le prestige social fait appel au plus fondamental des instincts de l'humain ».

C'est de là que Fred Anderson explique dans *Printer's Ink*, la revue de publicité de l'époque, qu'une bonne accroche publicitaire consiste à sensibiliser les consommateurs au jugement que leur entourage porte sur eux. Il faut amener le consommateur, écrit-il, « à se préoccuper d'aspects aussi triviaux que la peau de son nez ou que l'exhalaison de son haleine » (*Printers Ink*, octobre 1926). Cette directive rappelle peut-être aux personnes de l'âge d'or les campagnes de publicité du rince-bouche Listerine qui promet que son produit lutte efficacement contre « l'halitose », l'halitose étant simplement un terme ésotérico-publicitaire pour désigner la mauvaise haleine. À ses débuts, la publicité fait en effet beaucoup de place à la santé et à l'hygiène : un grand nombre d'annonces vantent des remèdes miraculeux qui guérissent n'importe quoi ; presque autant encensent les savons (« Ne prenez pas le risque que les odeurs humaines vous fassent rejeter par votre entourage », susurre la publicité). On connaît les résultats : l'Amérique du Nord est obsédée par la propreté... et les vendeurs de savon que sont Procter & Gamble et autres Unilever sont parmi les multinationales qui dépensent le plus en publicité.

Un de mes étudiants, Jean Mathieu, me résumait magistralement l'essentiel de la création publicitaire : « Pour faire de la bonne publicité, il suffit de trois ingrédients : dire une vérité, montrer le produit, faire sentir au client qu'il en a besoin. » Faire sentir au client qu'il en a besoin, c'est ça le motiver. L'historien de la consommation Stuart Ewen explique comment la conscience américaine elle-même est le fait d'un effort concerté des producteurs qui, pour pouvoir lui proposer des biens qui collent à sa vision de la vie, ont besoin d'avoir en tête l'image du consommateur américain type. Ewen (1983) écrit dans

Consciences sous influence : « Le “type américain” — concept de masse désignant le résultat du *melting-pot* ethnique, linguistique, social ou culturel — est né de toute évidence des aspirations communes à l’ensemble de la collectivité : c’est la réponse des masses populaires aux impératifs de la production. » Il en va de même pour les Québécois qui, d’après Pierre Delagrave, vice-président recherche chez Cossette Communication Marketing, sont motivés par une aspiration commune pour le plaisir : « La première leçon qu’on apprend en publicité, c’est qu’il n’y a pas moyen de vendre un produit au Québec sans parler de plaisir » (*L’Actualité*, janvier 1992). Le plaisir serait donc une motivation fondamentale pour les Québécois...

Comme le fait remarquer le philosophe Gaston Bachelard [...] : « L’homme est une création du désir. »

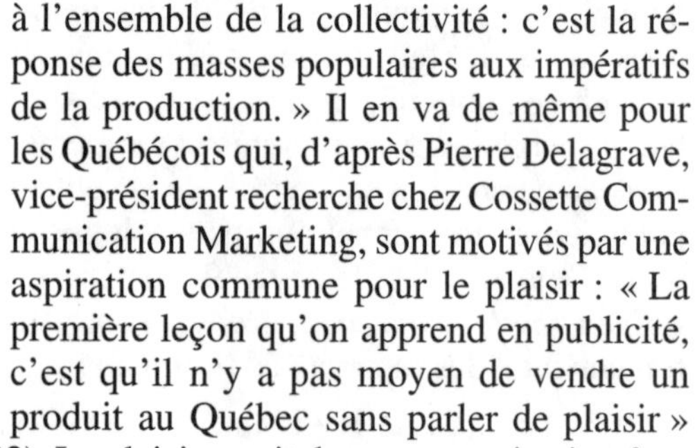

Ces opinions rappellent simplement que le publicitaire fait appel aux motivations humaines ; or celles-ci sont universelles. Par exemple, un visage d’enfant ou un coucher de soleil font mouche à tout coup. Quand la Régie de l’assurance maladie du Québec mandate Cossette Communication Marketing pour créer la « carte santé » (baptisée ainsi par l’agence), ceux-ci effectuent une recherche pour évaluer le type de paysage québécois qui peut orner cette carte en plaisant à une majorité de citoyens ; le coucher de soleil s’est révélé le préféré. Quand l’Université Laval lance sur son site Internet (www.ulaval.ca) un concours de photos devant représenter l’université, 2 245 votes sont colligés ; la deuxième photo en lice sur 50 est choisie par 14 % des voteurs : c’est encore la tête d’un petit enfant... devant un rayon de bibliothèque.

Pour un publicitaire, le contenu du message doit donc impérativement être « motivationnel ». Qu’est-ce que cela veut dire ? Cela veut dire que chaque message doit solliciter une corde sensible de l’âme humaine, car le marketer doit avoir l’humilité de l’avouer : un produit donné intéresse peu le consommateur, même si ce consommateur est une cible naturelle. Comme le fait remarquer le philosophe Gaston Bachelard (1949) dans *La psychanalyse du feu* : « L’homme est une création du désir. » Ce qui motive effectivement le consommateur, ce sont les avantages que peuvent lui procurer un produit, avantages présentés par le publicitaire de manière à réveiller le désir en lui, à le faire ressentir comme un besoin.

Or ces façons d'éveiller le désir, c'est ce que les publicitaires appellent les motivations. Dans son acception générale, la motivation, c'est cet ensemble d'influences physiologiques ou psychologiques qui guident l'attention et le comportement vers un but qui satisfait l'individu. Puisque les humains sont toujours les mêmes, les motivations sont, elles aussi, toujours les mêmes. L'éminent chercheur Abraham-H. Maslow a publié en 1954 un ouvrage célèbre, *Motivation and Personality*, dans lequel il hiérarchise les besoins. On peut donc répartir les motivations en quatre groupes :

1. celles qui répondent aux besoins physiologiques (manger, boire, copuler, etc.) ;
2. celles qui répondent aux besoins de sécurité (être à l'abri des dangers présents ou futurs, vivre dans un cadre stable, etc.) ;
3. celles qui répondent aux besoins d'estime de soi et de relations (être fier de soi, se sentir compétent, autonome ; être admiré, craint, célèbre, etc.) ;
4. celles qui répondent aux besoins d'autoréalisation (sentir qu'on exprime au mieux ses capacités affectives, intellectuelles ; créer, connaître, etc.).

Il semble qu'un individu passe d'un échelon à l'autre seulement quand les besoins d'un échelon donné sont satisfaits ; c'est pourquoi ont parle de « hiérarchie des besoins ». C'est pourquoi aussi ce n'est souvent que chez les gens plus âgés que les besoins de *self-actualisation* sont ressentis plus vivement... donc sollicités par les publicitaires.

Une bonne campagne de publicité s'appuie toujours sur l'une ou l'autre de ces motivations. Mais le concepteur publicitaire ne doit choisir qu'une seule motivation : la bonne. Pour une campagne donnée, c'est ce qu'on appelle « l'axe motivationnel », l'axe sur lequel s'appuie toute la démonstration, l'argumentation. Si le concepteur publicitaire sait repérer la bonne motivation, il peut véritablement arriver à persuader.

Il est possible que deux ou trois motivations conviennent à un produit et pour une cible donnée. Mais le concepteur publicitaire doit se contraindre à choisir la motivation... la plus motivante, si on peut dire ! Les autres motivations ne sont alors invoquées qu'accessoirement. Dans une campagne prenant pour cible les pères de famille, la compagnie d'assurance Ciel Vie titre en montrant la photo de jeunes enfants s'amusant : « Les laisseriez-vous sans toit ? » Le publicitaire mise alors sur les motivations d'amour et de dévouement pour intéresser les cibles au produit... mentionnant au passage seulement le coût minime.

L'axe motivationnel doit être bien défini, tant par rapport à la marque qu'au public visé. Tout doit être mis en œuvre pour que l'argumentation soit exclusive ; le message publicitaire doit présenter un article précis et différent de ceux des compétiteurs. De nos jours, certains mots comme qualité, service, prix, choix sont tellement galvaudés qu'on finit par ne plus savoir très bien en quoi cela peut distinguer un produit d'un autre. C'est pourquoi un argument précis vaut son pesant d'or : « Rolaids neutralise 47 fois son propre poids d'acide ! » fait la fortune de Warner-Lambert depuis 50 ans. Le concepteur publicitaire doit aboutir à une proposition unique et distinctive, de sorte que le consommateur potentiel se sente réellement appelé par le message.

Quand il s'agit d'accorder le rôle primordial à l'un ou l'autre élément du couple persuasif texte-image, l'industrie publicitaire américaine prend toujours parti pour... Dieu : « Au commencement du monde était la Parole... et la Parole était Dieu » (Évangile selon saint Jean). Si bien que les stars de la publicité américaine sont la plupart du temps des gens de parole, des rédacteurs. On peut penser à Claude Hopkins (1927), gourou de la décennie 1930-1940, John Caples (1961), le maître des années 1940-1950, Bill Bernbach (1965), star des années 1950-1960 ou même David Ogilvy (1964), vedette quasi contemporaine. Ces génies ayant dessiné leur auréole par la plume, cela eut pour répercussion d'assener un vilain coup au pinceau ; en effet, l'idéation des campagnes devint vite le fait exclusif des concepteurs-rédacteurs, et les visualistes (qui ne portaient pas le titre de « concepteurs »-visualistes) étaient restreints à traduire en croquis les visions éclairées de leurs confrères.

La prétendue supériorité du texte a même été renforcée par l'application de mécanismes éprouvés de persuasion. L'une des procédures les plus percutantes, l'*Unique Selling Proposition* (USP), repose entièrement sur le texte. Proposée par Rosser Reeves dans *Le Réalisme en publicité* (1963), l'USP consiste à formuler de manière frappante mais succincte une caractéristique que le produit est seul à posséder ; cela a pour effet de positionner la marque dans une classe

Les mots qui « ne veulent rien dire »

Une campagne de panneaux-réclame pour la Renault 5 obtient un succès retentissant en misant simplement sur le mot « Chnac ». Que veut dire ce mot ? Nul ne le sait. Sans doute le concepteur s'est-il rappelé le poème épique de Lewis Carroll publié en 1876 : La Chasse au Snark, *celui-ci étant un animal fabuleux. Chasse et Snark se sont-ils inconsciemment agglomérés pour donner Chnac, cette sensation « fabuleuse » que l'on ressent, selon le concepteur, quand on conduit la petite voiture ?*

Pour vanter les téléphones de Bell, le concepteur fait simplement appel à une assonance, « Loulou, elle, le loue », « argumentation » en forme de clin d'œil en direction du consommateur.

à part. « Ivory : 99 et 44/100e pour cent pur : il flotte », « Colgate contient du fluorure » sont des exemples de tournures qui font appel à un USP. Les Américains croient en la parole.

Or, il a toujours tombé sous le sens des Européens que, dans la persuasion, l'image joue un rôle primordial. Pour les Américains, l'image ne constitue que la partie aguichante du message ; germe à peine dans la tête des publicitaires anglophones l'idée que l'image puisse poursuivre un objectif de persuasion particulier. Tout de même, un premier congrès intitulé *Marketing and Semiotics* a lieu à l'été 1986 à l'Université de l'Indiana à Bloomington, congrès où les marketers reconnaissent enfin le rôle irremplaçable de l'image dans la motivation publicitaire (voir Umiker-Sebeok, 1987).

Un thème doit être utilisé tant qu'il n'est pas usé et d'autant plus qu'il s'est montré efficace ! Pourquoi abandonner un cheval gagnant ?

Dans une campagne de publicité, le publicitaire ne joue que sur la motivation principale ; il n'a recours aux motivations secondaires que dans l'argumentation, et peut-être seulement sous une forme allusive. La motivation clé constitue le thème récurrent de la campagne ; le rôle du titre-accroche est de présenter de manière percutante la motivation clé. Le titre-accroche est la forme concrète et succincte donnée à la motivation clé. Le titre-accroche a aussi pour rôle de sélectionner les cibles : c'est lui qui sollicite l'attention des consommateurs naturels — ou, en tout cas, de ceux que la campagne vise. C'est évidemment le titre-accroche qui constitue la première et la plus importante attaque persuasive.

Un publicitaire croit que l'altruisme est la meilleure motivation pour inciter les aînés à contribuer à une œuvre charitable, par exemple les maisons de jeunes ? Bien ! Mais plusieurs titres-accroches peuvent toucher la même corde sensible :

- « Ne gardez pas tout pour vous : aidez les jeunes qui ont besoin de votre exemple. »
- « Vous avez appris à vous donner ; donner quelques dollars, c'est aussi se donner. »

- « Ne vous refermez pas sur vous-même : grandir, c'est s'ouvrir aux autres, s'ouvrir aux jeunes (même ouvrir son porte-monnaie !) »

Nous avons ici trois thèmes-accroches qui correspondent tous trois à la même motivation, l'altruisme. Les concepteurs publicitaires trouvent plaisir à jouer ainsi de mots, à démontrer leur faculté créatrice ; ils ont continuellement en tête des formulations renouvelées à proposer. Mais s'il faut faire évoluer une campagne, s'il faut éventuellement changer de thème, il faut le faire avec prudence. Un thème doit être utilisé tant qu'il n'est pas usé et d'autant plus qu'il s'est montré efficace ! Pourquoi abandonner un cheval gagnant ? Il est rare en effet que ce soient les cibles qui se fatiguent d'un bon thème de campagne : il arrive très peu souvent qu'un entrepreneur dispose d'assez d'argent pour donner à un thème la visibilité qui l'userait auprès des cibles. C'est souvent l'annonceur qui s'en fatigue le premier : lui l'a sous les yeux chaque jour ; la majorité des cibles, il faut bien s'en rendre compte, auront été exposées au message dix ou vingt fois tout au plus.

Prenons l'exemple de la Fédération des producteurs de lait du Québec. Au début des années quatre-vingt, la Fédération diffuse en publicité au rythme de 5 millions de dollars par année. Pourtant, le comédien Normand Brathwaite répète au moins pendant cinq années consécutives : « Moi, j'bois mon lait comme ça me plaît ». Aussi, 99 % des Québécois connaissaient le slogan thème de la Fédération des producteurs de lait du Québec. Pourquoi l'annonceur l'aurait-il abandonné ?

Il arrive aussi qu'un thème se transforme en slogan, acquérant ainsi une qualité de permanence ; souvent alors, il est intégré à la signature de l'entreprise. C'est ainsi que « Ford a toujours les meilleures idées ! », que « Vous pouvez être sûr si c'est Westinghouse ! », que « Sears vous en donne pour votre argent et plus ! », et que « Zellers, là où le plus bas prix fait loi ! »

Une chose est sûre : si l'axe motivationnel est bon, on y colle indéfiniment. Le cowboy Marlboro demeure le thème de cette cigarette depuis 1954. Et Marlboro est devenue aux États-Unis la première marque de cigarettes avec près de 20 % du marché, son plus proche concurrent étant Winston avec 12 %. Voilà une persévérance qui paie !

Pour créer un message efficace, ciseler un thème-accroche percutant et persuasif, le concepteur publicitaire s'appuie sur des balises claires que l'on appelle le « tremplin de création ». Le tremplin rappelle au concepteur cinq points essentiels de la stratégie d'une campagne :

1. L'objectif : qu'est-ce que ce message doit dire, de quoi doit-il persuader les cibles ?
2. La cible : qui est le consommateur type qu'il doit viser ?
3. L'axe motivationnel : quel bénéfice (la motivation) les consommateurs tirent-ils à acheter le produit ?
4. L'argumentation : quelles preuves peut-il donner que les consommateurs obtiendront effectivement le bénéfice promis ?
5. Le ton et la manière : quel ton (léger ou dramatique, etc.) va-t-il adopter pour évoquer la « personnalité », l'image de marque du produit ?

Avec ces balises, le concepteur publicitaire peut concocter un bon message publicitaire. Les débutants structurent leur message selon la formule éprouvée, dite AIDA. A tient pour attention, **I** pour intérêt, **D** pour désir et **A** pour achat. C'est une formule un peu trop simpliste pour résumer adéquatement la complexité de la communication publicitaire, mais elle est néanmoins utile ; elle est dotée des éléments suffisants pour garantir l'efficacité.

L'attention. Un bon message doit attirer l'attention, et précisément attirer l'attention des cibles visées (toujours ! les autres, on s'en balance !). C'est pour cette raison que les messages publicitaires sont souvent remarqués pour leur originalité : image surprenante, couleur criarde, format gigantesque, etc. ; mais ne nous fourvoyons pas : l'originalité est la première qualité d'un message publicitaire, mais elle est première dans le temps seulement, non pas en importance. Un message trop original embrouille la communication : on parle alors de « vampirisme de la création » (l'originalité qui se développe au détriment de la communication). L'important, pour le publicitaire, c'est d'arriver à persuader.

L'intérêt. Un bon message doit éveiller l'intérêt, c'est-à-dire susciter la curiosité, le goût d'en savoir davantage. Cet intérêt est le plus souvent éveillé par le titre du thème-accroche. Les destinataires doivent retrouver dans ce titre l'ingrédient essentiel de l'axe motivationnel, cette saveur qui saura ébranler le raisonnement, toucher le cœur.

Le désir. Un bon message doit encore exaspérer le désir en amenant les cibles à imaginer le plaisir qu'elles tireront à posséder le produit. Le publicitaire recourt pour cela à l'argumentation qui fera convoiter l'objet : argumentation visuelle ou textuelle, logique ou affective.

L'achat. Un bon message doit enfin induire à l'action, c'est-à-dire inciter à l'achat. Le publicitaire doit y parvenir avant la fin du message. C'est la conclusion qui fait habituellement ce travail en présentant l'ultime argument, en offrant une prime, en mentionnant une échéance limite, ou en adoptant un ton impératif.

Persuasion ! La mouche est choisie, elle est mouillée ; le poisson mord, il est ferré. Si le concepteur publicitaire sait maîtriser cette structure élémentaire, il sait faire de la bonne publicité. Au-delà, c'est de la virtuosité réservée aux grands initiés. Bonnange et Thomas (1987) résument cela encore plus succinctement dans *Don Juan ou Pavlov* : « Il n'y a pas de miracle en publicité, il n'y a que le respect de deux règles de base pour une bonne communication : [...] la séduction et l'argumentation ; [...] les deux sont aussi importants l'un que l'autre. »

La technique du perroquet

Maintenant, faut-il vraiment répéter à satiété ce message motivateur ? Oui, les publicitaires misent toujours sur la répétition. Mais, avec un budget toujours restreint, une question se pose : vaut-il mieux atteindre plus de cibles moins souvent (ce que les publicitaires appellent la portée) ou moins de cibles plus souvent (ce qu'ils appellent la fréquence) ? Profondeuristes ou équilibristes, les publicitaires sont toujours, sous cet aspect, behavioristes : ils estiment qu'ils doivent recourir à la technique du perroquet et répéter, répéter, répéter.

Avec un budget toujours restreint, une question se pose : vaut-il mieux atteindre plus de cibles moins souvent [...] ou moins de cibles plus souvent.

En effet, il est convenu qu'une annonce devra être perçue trois fois pour créer un effet minimal. Dans les journaux, la portée (en même temps que la fréquence d'exposition) s'élargit jusqu'à sept parutions, disons pour atteindre 65 % des lecteurs ; par la suite, et jusqu'à la quinzième parution, la fréquence augmente plus vite que la portée. Au-delà, l'effet est beaucoup moins évaluable.

La « courbe de diffusion » reflète la façon dont le budget est distribué tout au long de la campagne. Cette répartition traduit le caractère de saisonnalité d'un produit, la riposte que l'annonceur souhaite opposer aux offensives rivales, ou d'autres facteurs importants sur le plan stratégique. Seuls quelques gros annonceurs ont les reins assez solides pour inonder les médias à longueur d'année ; pour le commun des mortels, les tambours publicitaires battent rarement pendant 52 semaines consécutives. La plupart du temps, une grosse campagne ne sera diffusée que pendant 13 semaines (quitte à ce qu'elle se répète ultérieurement pendant 13 autres semaines). Certains messages franchissent donc les barrières de la perception, mais d'autres n'effleurent que les marges de la conscience.

Les courbes annuelles de diffusion peuvent prendre plusieurs formes. Mettre tout son argent pour répéter le plus souvent possible dans un court laps de temps ? Ou, au contraire, échelonner son budget tout au long de l'année ? Il n'y a pas de recette unique ; la courbe peut être croissante, décroissante, régulière ou saccadée. La recette qui me paraît la meilleure est la suivante : donner un coup de butoir en début de campagne, puis décroître en fréquence au fil des semaines.

Mais, de plus en plus, les puissantes multinationales misent sur un matraquage lourd. Les campagnes de lancement de gros annonceurs comme les supermarchés Provigo ou Métro s'appuient sur des budgets importants et visent souvent à atteindre pratiquement 100 % d'un auditoire 20 ou 40 fois en un court laps de temps (disons, en un mois). Les téléspectateurs zappent de plus en plus, mais les publicitaires les déjouent en diffusant une même annonce sur tous les canaux à la même minute. Pour atteindre les citoyens qui regardent peu la télévision, ils diffusent leurs publicités aux heures où ceux-là la regardent tout de même (disons *Le Téléjournal* de Radio-Canada), sachant qu'ils toucheront par la même occasion ceux qui la regardent continuellement. Ils étudient les « mœurs télévisuelles » des citoyens en installant des ordinateurs sur les téléviseurs d'un échantillon représentatif d'une population, ordinateurs qui enregistrent seconde par seconde les choix des téléspectateurs.

Sans compter que la publicité est désormais multiforme. L'imagination et la ruse des publicitaires sont sans limite. Ils inventent chaque jour de nouvelles formes de publicité, des annonces engrammées en temps réel par ordinateur lors des matchs de baseball ou de hockey diffusés à la télévision, jusqu'au téléphone cellulaire dont le temps d'antenne est gratuit avec publicité de 20 secondes aux trois minutes... ainsi de suite.

Citons quelques formes qui se dessinent plus clairement :

1. La contre-publicité : publicité conçue pour lutter contre la publicité commerciale et la consommation, souvent en parodiant ou en détournant les publicités les plus célèbres.
2. La commandite : publicité qui est diffusée sous le couvert de subventions à des organismes commerciaux ou à but non lucratif, publics ou privés, et qui mise sur les retombées plus ou moins directes de cette action de visibilité.
3. L'éditopub (*advertorial advertising*) : publicité déguisée en matière rédactionnelle souvent sous forme de cahiers spéciaux sur un sujet donné.
4. L'infomercial : émission de télévision structurée comme une émission de divertissement mais dont le seul but est de vendre le produit de l'annonceur.
5. Les périodiques d'entreprises : magazines présentés en kiosque mais qui sont en fait rédigés de manière à faire la promotion d'une marque ou d'une entreprise. Ex. : *Color*, *Les Ailes* ou *Passion Beauté*.
6. Le placement de produits : il s'agit ici de placer les produits dans des émissions télévisées ou des films selon une entente claire avec les producteurs sur la visibilité escomptée.
7. La publicité advocative : publicité par laquelle on défend des idées (sociales, économiques, etc.) plutôt que d'essayer d'influencer directement la consommation d'un produit.
8. La publicité événementielle : publicité qui se raccroche à un événement de l'actualité pour faire mousser un produit.
9. La publicité bannière : sur Internet, bandeau publicitaire amarré à un lien hypertexte vers un site commercial.

10. La publicité institutionnelle (*corporate advertising*) : publicité qui a pour but d'assurer la crédibilité d'une entreprise plutôt que de travailler à l'image de marque d'un produit.
11. La publicité corrective : publicité qui est diffusée pour corriger une information prétendument diffusée par erreur dans des annonces précédentes.
12. La publicité de patronage (*corporate-patronage advertising*) : publicité qui cherche à susciter la fidélité des clients envers une entreprise.
13. La publicité dérivée : publicité portée *de facto* par des objets repris d'autres moyens de communication de masse (films, livres, etc.). Ex. : figurines du roi Lion de Disney vendues comme produit autonome mais qui, par dérivation, annoncent le film ou le livre ; effigies incluses dans les produits pour en augmenter la valeur affective (figurines du roi Lion dans les boîtes de céréales).
14. La publicité directe (*direct response advertising*) : publicité qui a pour but de vendre directement au consommateur par l'entremise du téléphone ou d'un coupon-réponse.
15. La publicité interstitielle : sur Internet, message publicitaire qui s'immisce pendant quelques secondes dans la consultation d'information.
16. La publicité prestation : on distribue un cédérom qui n'est qu'une reprise d'une ritournelle publicitaire (de Ford par Isabelle Boulay) ou on stoppe la musique dans une discothèque pour faire parader de belles filles sous forme de mini-parade de mode (habillées aux couleurs de l'étiquette de la bière Saint-Léger).
17. La publicité causale (*cause-related advertising*) : publicité payée par une entreprise (ou subtilement commanditée) qui défend une cause sociale.
18. La publicité sociale : publicité qui vise à transformer les attitudes et les comportements en vue du bien commun.

19. La publicité-témoignage : publicité qui recourt à la crédibilité d'une vedette pour vanter les mérites d'un produit de manière occulte (le témoin le fait sur la place publique de manière spontanée).
20. Le publi-reportage : information payée qui se dissimule sous les apparences d'un reportage objectif (ordinairement désignée comme telle selon l'éthique journalistique).

Quand je dis que la publicité s'insinue partout, je veux dire partout — et sans pudeur ! Les journalistes se questionnent sur les implications éthiques de ces publi-reportages qui deviennent chaque année plus nombreux : ainsi, un cahier spécial intitulé *La retraite et les aînés* n'est qu'un prétexte pour soutirer de l'argent publicitaire aux Manoirs de la retraite, Cliniques de l'arthrite et autres Matelas ThérapeuFlex (*Le Soleil*, 4 février 2001).

Quand je dis que la publicité s'insinue partout, je veux dire partout — et sans pudeur !

Depuis les années quatre-vingt-quinze, le réseau de télévision ABC joue avec le jaune comme image de marque qui le démarque de ses concurrents. En juillet 1998, ABC fait une entente de publicité avec les distributeurs de bananes : 15 millions de bananes sont achetées (et payées !) par les consommateurs avec une petite vignette publicitaire qui se lit : « TV. Zéro calories » ou « Another fine use of yellow ». Plus de 15 millions de fois, les consommateurs en sont venus à manger de la publicité qu'ils avaient payée...

Des tactiques tous azimuts

Procter & Gamble (P & G) est l'université postdoctorale du marketing et de la publicité. En 2000, P & G est un immense conglomérat qui dépense 25 % de ses revenus en publicité sous la houlette de Denis Beauséjour, un marketer d'origine québécoise de 38 ans. P & G investit ainsi, année après année, 5 milliards de dollars. Beauséjour résume comment il atteint ses objectifs élevés : « Connaître mieux que quiconque ce six pouces situé entre les deux oreilles des consommateurs. »

Certains des axiomes de P & G sont devenus des contraintes incontournables des grands annonceurs. Mentionnons-en quelques-uns :

- N'abandonnez jamais une stratégie qui fonctionne ; Tide, Crest, Zest et Ivory s'appuient sur la même base depuis 30 ans.
- Répétez le nom de la marque avant la huitième seconde d'un *spot* publicitaire et au moins trois autres fois avant la fin.
- Énoncez clairement l'avantage que vous promettez, oralement d'abord, puis doublez ensuite par un « texte sur image », et encore une dernière fois à la fin.
- Visez le long terme avec vos hérauts ; pour cela, ne recourez pas à une vedette (qui vieillira, fera des frasques, demandera trop cher, vous abandonnera, etc.).
- Soyez méfiants envers la musique ; seulement 10 % des *spots* de P & G recourent à la musique ; l'entreprise aime mieux utiliser tout le temps d'antenne qu'elle a payé pour persuader.

Ces indications reflètent une philosophie platement terre à terre de la publicité. Les *spots* de savons P & G sont ennuyeux, mais... ils vendent — et de plus en plus d'agences de publicité sont rémunérées selon une entente de partenariat dans lequel les ventes constituent un critère incontournable. Nous faisons face ici à une vision obnubilée par l'objectif de vente, et cette vision se reflète désormais dans les stratégies publicitaires.

Alors, la tactique privilégiée par les publicitaires pour conquérir un marché est toujours plus ou moins une tactique de guérilla : s'approcher candidement pour « frapper vite et fort ». Mais conquérir un territoire donné n'a jamais rassasié les marketers à succès ; ils prétendent même que le langage de la persuasion est efficace dans toutes les cultures, et qu'ils peuvent, avec une même campagne de publicité, viser le monde entier. Les Québécois, eux, sont tiraillés entre « faire américain ou européen » : l'approche européenne privilégie une narration artistique pour laisser découvrir en toute fin qu'il s'agit d'une publicité ; la tradition américaine, au contraire, installe le produit sous les réflecteurs comme s'il était déjà une star dont on a toutes les raisons de s'enorgueillir — ce que Chanel no 5 fait exceptionnellement. Par ailleurs, l'argent publicitaire en vient à exercer une influence, voire un contrôle, sur le contenu même des émissions, sur la matière éditoriale de maints médias... quand on en vient pas directement à « acheter des vedettes ». Mais la véritable vedette aux yeux des marketers, c'est le produit et son nom ; un nom de marque comme Sony ou Coca-Cola vaut une fortune sur les marchés internationaux et c'est pourquoi chacun veut imposer une image de marque. Voilà les thèmes abordés dans le troisième temps.

Frapper vite et fort

« La formule a déjà été éprouvée dans 27 pays. Elle consiste à enfermer pendant 70 jours onze cobayes de moins de 30 ans dans un *loft* de 230 m^2 aménagé dans les studios d'Aubervilliers, en banlieue de Paris. Nos six garçons et cinq jeunes filles passeront donc deux mois sous l'œil de 26 caméras (dont trois à infrarouges) et les oreilles indiscrètes de 50 micros. Tout est enregistré, et les caméras ont été disposées jusque (et peut-être surtout) dans les chambres à coucher et la salle de bains. » Christian Rioux parle ici de *Loft Story*, la série à succès de la télévision français en ce printemps du nouveau millénaire (*Le Devoir*, 4 mai 2001). Il vient de décrire ce que l'on appelle un *reality show*.

Dans une émission enquête diffusée par Télé-Québec au printemps 2001, on pose la question : Aimez-vous la télé-réalité ? 63 % des personnes répondent non. Pourtant, les émissions comme *Big Brothers* en Hollande, *Survivor* aux États-Unis ou *Pignon sur rue* au Québec vont chercher des cotes d'écoute qui font le double des habituelles émissions de grand public, dépassant ainsi toutes les espérances de... revenus publicitaires. La communication de masse exerce une fascination sur une majorité de citoyens : voir son image diffusée par les médias de masse est perçu de nos jours comme une manière d'exister ; nombre de citoyens sont prêts à afficher aux yeux de tous leurs vices les plus cachés, à laisser paraître leurs comportements les plus intimes, même les plus aberrants. Vivre devant les médias est vu comme la manière de vivre à fond.

On sent que l'approche publicitaire corrompt les autres formes de communication de masse, des relations publiques au journalisme, du reportage au témoignage. Désormais, il faut ouvrir sur une accroche sensationnaliste, utiliser une langue simpliste, faire court et répéter sous plusieurs angles. Les politiciens jouent ce jeu quand ce ne sont pas les enseignants qui veulent rivaliser avec Musique Plus pour intéresser leurs étudiants... La langue utilisée, le ton que l'on donne à la communication imitent de plus en plus la publicité.

La langue de la publicité tient à deux caractéristiques : c'est une langue simple et c'est une langue mode. Quand je dis simple, je veux dire qu'elle recourt au français fondamental qui rassemble les 3 000 mots les plus connus, les plus courts et les plus polyvalents ; c'est le contexte qui se charge de préciser leur signification. Cette approche s'appuie sur l'adage « Qui peut le plus peut le moins » ; les publicitaires sont convaincus avec raison que les gens instruits comprennent la langue simplifiée de la publicité alors que les gens peu cultivés ne peuvent pas déchiffrer un message plus complexe. On doit donc recourir à des mots simples pour parler au grand public, et cela demeure vrai quand il s'agit de parler aux gens instruits. À preuve, une recherche rapportée par O'Connor et Woodford (1975) dans laquelle on présente à 1 580 scientifiques de Grande-Bretagne deux textes d'une page sur l'effet de l'adrénaline sur l'agressivité. Les deux textes ne sont différents que sous un aspect : le texte du (présumé) Dr Smith est écrit dans un style « universitaire » avec des phrases longues et des mots compliqués, alors que le texte du Dr Brown applique les règles de la communication efficace : phrases courtes, ponctuation diversifiée, mots simples. Résultats : 69,5 % des scientifiques préfèrent le texte simple du Dr Brown, qu'ils trouvent plus stimulant, plus intéressant. Mieux encore : 75 % des répondants trouvent même que le Dr Brown est un chercheur à l'esprit mieux organisé que le Dr Smith. Bref, les deux tiers de ces scientifiques, pourtant savants, trouvent le texte simple plus lisible, et les trois quarts apprécient davantage leur collègue auteur du texte simple.

Il est vrai cependant que la population compte une majorité (eh oui !) d'analphabètes fonctionnels comme le révèle une enquête de l'Organisation de coopération et de développement économiques (OCDE) réalisée en 1993 dans sept pays industrialisés, dont le Canada, des gens qui savent lire mais pour qui cela demande trop d'effort pour le faire véritablement. Un analphabète fonctionnel est une personne qui est incapable de réaliser les exercices « d'un niveau d'instruction de base normale », explique Roger Girod (1997) dans *L'Illétrisme*, « celui des objectifs que visent — pour la lecture, l'écriture et le calcul — les classes primaires ou, au plus, les dernières classes de la scolarité obligatoire », comme remplir un formulaire administratif simple, déchiffrer un horaire de bus, écrire une courte lettre pour expliquer un désaccord ou dégager l'idée principale d'un texte journalistique. Les analphabètes fonctionnels sont plus ou moins dépassés par ces tâches ; ils sont à terme à peine capables de comprendre un article court ou une fiche de paie, ou de calculer (avec une calculette !) le rabais en argent consenti sur une facture.

La langue des publicitaires est une langue-mode...

Voilà pour la langue simple ; venons-en maintenant à la langue mode. La langue des publicitaires est une langue-mode en ce qu'elle récupère, pour l'intégrer à leurs « accroches », le vocabulaire des milieux socio-économiques particuliers, comme celui des scientifiques ou des marginaux. Les publicitaires repèrent, par exemple, les expressions argotiques *hot* des jeunes pour les leur resservir dans des slogans « téteux ». « Marchons sur une religieuse délinquance », « Révoltons-nous contre notre théorique violence » ou « Sentez votre mode » sont des slogans percutants (?)... tous créés par un générateur automatique de slogans (voir http://www. incroyablement.com/generateurs.php3). Comme quoi le génie des publicitaires est parfois proche de l'art automatiste !

Il arrive toutefois que les publicitaires misent sur l'originalité de la langue pour mieux accrocher les destinataires. Ils recourent alors à des mots rares, des néologismes, des mots tirés de langues étrangères, du jargon technique (présumés donner une crédibilité scientifique au texte). Les concepteurs aiment jongler avec les mots, ce qui donne souvent des musiques amusantes (!) : « Pensez don généreusement ! » (pour l'organisme de charité Centraide) ; « Un chef d'œuf ! » (pour les déjeuners des restaurants McDonald's) ; « Transport d'Hivertissant ! » (pour les transports publics à Montréal) ; « Téléféérique ! » (pour le Mont-Sainte-Anne).

Mais la clé demeure la lisibilité : le message doit être structuré selon les lois de la lisibilité. Lisibilité sur les plans formel, psychologique et sociologique. Sur le plan formel, la qualité essentielle, c'est la simplicité. Sur le plan psychologique, le message doit être assimilable (on sait par exemple que la mémoire immédiate ne peut retenir au maximum que sept morceaux d'information). Sur le plan sociologique, le code de transmission utilisé doit être commun à l'émetteur et au destinataire.

Sachant ce que l'on sait de « l'illétrisme », il vaut mieux se rabattre sur la langue simple des *rewriters*. Le niveau de langue a été longuement étudié par le linguiste-communicateur George Zipf qui a établi une formule mathématique pour définir le niveau de lisibilité d'un texte (c'est ce modèle qui est utilisé par Word à la fin de la révision « grammaire et orthographe » du menu Outils). Selon Zipf (1935), ce sont les mots les plus courts, les plus simples et les plus polyvalents qui sont les plus utilisés et, finalement, les plus utiles. Dans cet esprit, un texte doit comprendre 75 % de mots de deux syllabes.

Bref, le langage de la publicité doit recourir à des mots affriolants pour les publics cibles visés car la communication de masse doit *toujours* être une communication simple qui frappe vite et fort.

Viser le monde entier

Les grosses multinationales, américaines pour la plupart, prétendent pouvoir faire du *global marketing*, c'est-à-dire procéder avec une stratégie identique dans tous les pays. Quand il s'agit de publiciser leurs produits, les cultures nationales deviennent pour elles des handicaps. Elles investissent puissamment un marché en jouant sur les trois premiers P du marketing : le produit mode (la qualité, la variété), le prix bas (*dumping*, fabrication dans les pays du tiers-monde) et la distribution massive (Wal-Mart et ses 3 000 grandes surfaces !). Ils rechignent encore car il leur faut parfois sacrifier leur philosophie de marketing unificateur : Heinz doit encore fabriquer 14 variations de son ketchup pourtant unique.

Ces herculéennes organisations sont toutes transnationales dans leurs visées... quand elles ne dictent pas déjà les lois aux élus en place en finançant les partis politiques qui adhèrent à leurs objectifs (par exemple celui de confier à l'entreprise privée la gestion des services sociaux ou des prisons comme c'est déjà le cas dans certains États américains, ou des écoles comme c'est le cas pour certaines écoles britanniques) ; elles promettent que le citoyen sera mieux servi par l'entreprise privée qui, elle, saura faire payer le « citoyen utilisateur ».

Les figures de rhétoriques qui charment.

Une campagne d'affichage a révolutionné la publicité touristique au milieu des années 1980 ; connu pour ses belles filles dénudées qui suggèrent la promiscuité, le Club Med décide de jouer sur le double sens avec, à la croche, une teinte de fraîcheur humoristique. Ici, on prend au pied de la lettre l'adage « Mener une vie de château » ; le texte évoque la vie de luxe, l'image suggère la liberté des plages du Sud.

Les capitaines d'industrie qui sont à la tête de ces gigantesques organisations n'ont souvent pas de sentiment d'appartenance autre que le monde de l'argent (ils déménagent aux îles Caïman s'il le faut). Ils misent sur le *soft power* pour effacer les cultures nationales ; le *soft power* consiste à recourir à l'information-désinformation pour persuader le peuple de leur façon de voir, par exemple, pour amener les citoyens à croire qu'il faut payer moins d'impôts « gaspillés » en services sociaux, que le salaire minimum doit être abandonné si l'on ne veut pas que les entreprises déménagent ailleurs, qu'il faut subventionner les multinationales qui créent de nombreux emplois, bref, amener le citoyen moyen à s'aligner sur les valeurs des riches et puissants. Le philosophe québécois Jacques Dufresne (1999) explique dans *Après l'homme, le cyborg* que pour ces gens-là « démocratisation » signifie « rupture des liens conviviaux, des pactes sociaux et des solidarités qui constituent précisément un groupe humain comme peuple, à la différence d'une masse constituée d'individus atomisés et par là même aisément manipulable. »

Effectivement, la vie urbaine est fragmentée. Chaque citoyen connaît, grâce aux médias de masse (financés par la publicité), ce qui se passe à l'autre bout de la Terre, mais il ignore que sa voisine de palier est en train de crever. Pour titiller le désir consommatoire des citoyens où qu'ils vivent dans le monde, la publicité des multinationales prétend recourir aux mêmes motivations, aux mêmes images, aux mêmes héros... puisque les humains sont partout les mêmes. Les multinationales visent à faire de tout le monde des citoyens du monde... de la consommation. On peut constater une tendance générale à l'interpénétration des cultures : mis en marché par des importateurs dynamiques et popularisés par leurs publicitaires, à Montréal comme à Paris ou Tokyo, on peut consommer des gnocchis, des moules-frites, des sushis, des rouleaux impériaux, des hamburgers... voire du sirop d'érable (mais peu de cuisine anglaise !). Les grandes marques ont envahi la planète : de manière générale, au Sud comme au Nord, on porte les mêmes vêtements Gap ou Versace, on se pare des mêmes bijoux (au nombril !) Cartier ou Tiffany, on utilise les mêmes ordinateurs IBM ou Apple, on conduit les mêmes autos Toyota ou Mercedes, on déguste les mêmes plats McDonald's ou Maxim (dans les avions !), ainsi de suite. Parmi les 500 produits dont Statistique Canada étudie la consommation *a mare usque ad mare*, bien peu montrent une différence marquée d'une province à l'autre.

Marketing global et disparitions des marchés nationaux donc ? Peut-être. Jacques Attali (1999), ex-conseiller du président de la France, ne le pense pas car il écrit dans *Fraternités, une nouvelle utopie* : « La mondialisation ne s'accompagnera pas d'une uniformisation. On passera au contraire de la globalisation du marché à un pluralisme de marché. Même mondiales, les firmes diversifieront leurs produits au gré de la culture de leurs clients et, dans certains cas, camoufleront même leur universalité derrière des confédérations d'entreprises locales, créant sans cesse de nouvelles diversités en métissant cultures et attentes. » Je prie Coca-Cola pour qu'il lui donne raison. Avec sa verve aiguë et morose, Jean Larose du *Devoir* évoque la mondialisation des marchés plutôt comme un vampire : « Un spectre hante le globe, celui d'un marché totalitaire où le citoyen sera défini comme un investisseur, la liberté comme le droit inaliénable du fort à exploiter le faible sans ingérence de l'État, la politique comme la gestion de la pauvreté au service du libre monopole, l'histoire comme une nostalgie des fraternités archaïques, l'éducation comme une préparation au marché de l'emploi précaire, la culture comme un spectacle stupéfiant, l'égalité comme le droit de chacun à l'aliénation marchande » (27 février 2000). Or, la publicité joue le rôle d'amplificateur pour répandre les idées concoctées par les marketers mondialistes.

Les multinationales visent à faire de tout le monde des citoyens du monde... de la consommation.

En pratique, beaucoup de grandes marques sont déjà des marques mondiales. Pensons à Apple, à Sony ou à Coke. Ce mouvement vers la mondialisation a été déclenché par le gourou du marketing de Harvard, Theodore Levitt, dans un article intitulé *The Globalization of Markets* (*Harvard Business Review*, mai-juin 1983). Dans cet article, Levitt affirme qu'il faut passer outre aux différences locales car les motivations humaines sont partout les mêmes ; c'est vrai jusqu'à un certain point, mais qui oserait affirmer que le désir de paraître s'exprime de la même manière à Beijing et à Montréal ? Son émule de la Northwestern University de Chicago, Philip Kotler, en prend le contre-pied : « Le succès [de Coke, Pepsi ou McDo] provient de la variation, du fait que ces marques font une offre différente selon les marchés. » Effectivement, Ikea arbore partout ses couleurs de l'entreprise jaune et bleu, les couleurs du drapeau suédois ; au Danemark cependant, un pays autrefois colonisé par les Suédois, Ikea a senti le besoin d'arborer plutôt le rouge et le blanc, couleurs du drapeau danois. Autre exemple : au Québec, McDonald's a investi d'énormes campagnes de publicité il y a 20 ou 25 ans pour convaincre les Québécois de déjeuner avec leur œuf McMuffin (un œuf avec une rondelle de bacon de dos dans un muffin anglais) ; les Québécois ont toujours résisté et McDonald's a fini par se résoudre à servir des œufs sur le plat avec de fines lamelles de bacon cuit sec...

Effectivement, un grand nombre de marques sentent le besoin d'adapter leur stratégie à la culture de chaque marché particulier, en confiant leur budget à une agence de publicité « locale ». Les professeurs Wells, Burnett et Moriarty (1998) ménagent la chèvre et le chou en concluant dans *Advertising : Principles and Practice* : « Le défi en publicité est de marier judicieusement les "variations" de Kotler au niveau régional sous une planification globale genre Levitt. » C'est pourquoi le terme « glocalisation » se répand dans les officines des publicitaires.

Cette stratégie de mondialisation est beaucoup plus questionnée quand il s'agit de campagnes de publicité que, pour diverses raisons, on doit absolument adapter aux sensibilités culturelles. Un exemple ? La marque Coca-Cola a été enregistrée comme marque de commerce en 1893 ; le nom Coke a été utilisé pour la première fois dans les campagnes de publicité en 1941 et il a rapidement été enregistré en 1945 ; la bouteille de Coca-Cola, caractéristique par ses courbes, a été utilisée à partir de 1916, et sa forme a été enregistrée comme marque en 1960 seulement. Mais, quand vient le temps de lancer Coke sur le marché de la Chine, un problème se pose : les Chinois ne savent pas lire les caractères occidentaux. Que faire ? On décide de transposer le nom Coca-Cola dans un caractère qui se prononce avec les mêmes sonorités. On créa l'idéogramme Ke-Kou-Ke-La. Or on découvre — après avoir produit des milliers d'enseignes — que l'idéogramme qui se prononce Ke-Kou-Ke-La peut aussi signifier selon le dialecte « mordez dans la mare de cire » ou « jument remplie de cire ». On refait donc ses devoirs et on crée l'idéogramme Ko-Kou-Ko-Le qui veut dire approximativement « joie dans la bouche ». Ce qui est pas mal plus suggestif comme nom de marque pour une boisson pétillante !

Les marketers américains pensent souvent que le monde entier peut répondre avantageusement à leurs prestigieuses marques et succomber docilement aux sirènes de leur publicité. « L'argument de la québécitude à tout prix, écrit Marie-Claude Ducas, ne tient plus la route. Même celui de l'efficacité ne fait pas toujours le poids face à la possibilité de réaliser des économies d'échelle » (*InfoPresse*, avril 2001). C'est pourquoi les gens de Colgate sont surpris de la réaction des consommateurs quand ils lancent en France leur dentifrice *Cue* (baptisé Signal, au Québec) pour s'apercevoir que c'est le prononcé d'un magazine... pornographique.

« Des prises de courant chantent [pour Hydro-Québec] *En revenant de Rigaud*, des chopes de bière s'entrechoquent sur l'air de *Vive la compagnie*, Sophie Lorain annonce un yogourt Danone, Guy A. Lepage et Sylvie Léonard vantent la Ford Focus et Stéphane Rousseau aime les plats d'accompagnement de Lipton. Sommes-nous trop Québécois ? » demande Sophie Lachapelle (*InfoPresse*, juin 2000). Michel Ostiguy, président de l'agence de publicité Bos, répond : « Nous sommes "trop québécois" seulement quand les publicités sont mauvaises. » Léon Berger de l'agence Marketel (qui a travaillé pour maints comptes internationaux — et qui a vendu Meunier à Pepsi) ajoute : « La préoccupation de concevoir une publicité originale pour son coin de pays est universelle. Partout on se dit que la personne la mieux placée pour communiquer avec les consommateurs est celle qui est la plus proche d'eux. » Au directeur de la création, Jean-Jacques Strélisky, qui se plaint dans le même dossier de ne pas gagner assez de prix dans les concours internationaux (« Tout le monde y rit un peu du phénomène local de la publicité québécoise. »), Michel Ostiguy rétorque : « Est-ce que la communauté publicitaire de Marseille, un marché d'une taille comparable au nôtre, remporte beaucoup de Lions à Cannes ? » Eh non !

On sait les coûteux efforts que maintes multinationales font pour adapter leurs messages à des sous-cultures même dans leur pays d'origine ; certaines grandes entreprises américaines adoptent leurs messages ou en créent de nouveaux pour les Afro-Américains, ou pour les Latinos, ou pour les jeunes. Et, de manière surprenante (et contradictoire !), quand ces puissants veulent exporter leurs produits dans d'autres pays, ils prétendent pouvoir réussir en exportant leurs campagnes locales telles quelles. Comme le dit si bien Marieke DeMooij (1997) dans *Global Marketing and Advertising* : « La décision de standardiser la publicité vient d'une culture d'entreprise [globalisante] plutôt que d'une culture nationale de marché. Les produits, c'est un marché global, mais les gens, c'est un marché local. » L'argument invoqué par les marketers globalistes se résume ordinairement à celui « d'économie d'échelle » ; or, cette économie peut s'avérer extrêmement coûteuse à terme. Même un slogan d'entreprise imaginé comme universel peut ne plus tenir la route en pays étranger. Prenons la multinationale Philips qui répète en signature : *Let's make things better* (Faisons mieux les choses). Malgré une volonté de répéter ce leitmotiv aux quatre coins de la Terre, Philips a dû se résoudre à dire *Juntos hacemos tu vida mejor* en Espagne (Ensemble, nous rendons ta vie meilleure), *Miglioramo il tuo mundo* en Italie (Nous améliorons ton monde) et, en français, *Toujours mieux !*

Les puissantes multinationales voudraient bien que leur marque soit *de facto* la marque leader de chaque marché mais ce n'est pas comme ça que ça fonctionne. La recherche montre que les gens préfèrent leurs marques nationales. Un exemple saute aux yeux : le transport aérien. Les Canadiens voyagent par Air Canada (même les francophones en dépit du fait qu'on ait démontré encore à la fin du millénaire que le personnel d'Air Canada soit bilingue à 15 % à peine), les Français par Air France et les Britanniques par British Airways. Où qu'ils soient dans le monde, les Français conduisent des Renault et les Allemands, des Mercedes, ainsi de suite. La publicité y est peut-être pour quelque chose, mais la fibre nationaliste en est certainement le fondement : à l'autre bout du monde, même un Québécois séparatiste se sent Canadien. C'est dire !

Pour « viser le monde entier », le publicitaire doit se résoudre à jouer sur la culture nationale.

Comme l'a montré Usunier (1993) dans *International Marketing*, chacun voit l'autre avec les yeux de sa culture :

- pour un Français, les Britanniques sont froids, « épais », hypocrites ;
- pour un Britannique, les Français sont sales, obsédés de sexe, chauvins, soupe-au-lait ;
- pour un Allemand, les Français sont imaginatifs, artistes ;
- pour un Hollandais, les Français ne sont tout simplement pas sérieux ;

- pour un Espagnol, les Français sont froids, distants, égoïstes ;
- pour un Finnois, les Français sont romantiques mais superficiels ;
- pour un Américain, les Français sont affables, intelligents mais prétentieux.

Or c'est en jouant sur ces caricatures de la réalité que les publicitaires arrivent à se faire comprendre plus facilement par la masse. Pour « viser le monde entier », le publicitaire doit se résoudre à jouer sur la culture nationale.

La communication publicitaire s'échafaude sur l'instantanéité de la reconnaissance des stéréotypes : une image est déchiffrée en un quart de seconde. Les personnages qui en sont les protagonistes doivent être identifiés en un instant dans leur rôle social. Seuls les « indigènes » peuvent savoir comment représenter les étrangers. Toutefois, la bataille Québec-Monde est loin d'être gagnée. Ces pieuvres tentaculaires que sont les multinationales n'ont tout de même qu'un seul cerveau... ordinairement posté aux États-Unis. La rédactrice en chef d'*InfoPresse*, Marie-Claude Ducas, remarque : « Dans bien des agences, on refusait de répondre [à notre rédactrice] sans autorisation formelle du client. Celui-ci désormais n'est plus à Montréal. Dans certains cas, il n'est même plus au Canada. Ceux qui ont bien voulu nous parler l'ont confirmé : les stratégies sont désormais élaborées au niveau mondial. [...] [Dans les *package goods*], les publicités conçues au Québec sont devenues des événements dignes d'être mentionnés » (juin 2000).

Faire américain ou européen

Une question se pose souvent dans les officines publicitaires du Québec : la publicité québécoise doit-elle refléter l'esprit de la publicité française ou coller à l'approche publicitaire américaine ?

La publicité française est une publicité pudique... sur le plan économique. Je veux dire par là qu'elle n'hésite pas à dénuder ses *top models* et à faire des allusions sexuelles, mais elle répugne à parler du produit qu'elle doit vendre. Les messages français sont souvent de petits bijoux cinématographiques, structurés comme une narration dans laquelle on doit démontrer son esprit (humour, allusions à la culture ou à l'histoire, sens critique, etc.). Mais parler du produit, de ses qualités, de ses usages, semble tabou. Ce n'est qu'à la fin de ce petit scénario que le public découvrira qu'il était « commandité » par telle grande marque. Je ne me rappelle plus quel publicitaire français me confiait ceci : « Je ne peux pas faire comme les Américains. Leur publicité est trop triviale. Les consommateurs français n'y trouveraient aucun intérêt. »

Jusqu'à tout récemment encore, les Français faisaient de « la réclame » comme on dit dans les manuels, si bien qu'ils se sont fait chiper une large portion de leurs budgets publicitaires au profit des grandes agences américaines qui se sont présentées en France avec leurs stratégies plus mercantiles et, en définitive, plus efficaces sur le plan commercial. Des 15 plus grandes agences de France, 12 sont des agences américaines (plus Saïga qui est britannique) ; reste Havas Advertising (*sic*) et Publicis. Autant dire que ce sont des stratèges américains qui désormais encadrent les concepteurs français pour faire une publicité nationale.

Alors, quelle est donc la caractéristique de cette publicité américaine qui a tant de succès... même en France ? Cette publicité est davantage *hard sell* selon l'expression argotique du milieu : c'est le produit qui est la vedette des messages publicitaires. On montre le produit sans pudeur, on en parle, on vous incite même à vous le procurer — ce qui est franchement grossier aux yeux du publicitaire français.

On peut schématiquement (et caricaturalement !) résumer sous forme de tableau la comparaison entre la publicité américaine et la publicité française :

Publicité américaine	**Publicité française**
On parle au consommateur	On raconte une histoire mignonne
On s'appuie sur des chiffres	On joue de la métaphore
On force la note : nouveau ! etc.	On joue la désinvolture
On mise sur une personne	On mise sur l'érotisme
On compare à d'autres produits	On fait témoigner les mandarins
On conclut explicitement : achetez !	L'annonceur signe discrètement

Revenons maintenant à notre question de départ : la publicité québécoise est-elle plus proche de la publicité française ou de la publicité américaine ? Je crois que la publicité québécoise sait tirer le meilleur des deux mondes : l'efficacité économique de la publicité américaine et la connotation poétique de la publicité française. Mais, comme pour ses choix politiques, le Québec est divisé : 50 % des publicitaires ne jurent que par la publicité américaine, et 50 % veulent calquer la publicité française qui, selon leurs dires, est davantage susceptible de leur gagner des Lions d'or de la publicité au Festival de Cannes. Dans les agences, les créatifs se plaignent des « kétifs » (néologisme montréalais forgé à partir de l'anglais *account executive* : administrateur publicitaire) ; c'est le bras de fer entre les gens d'argent et les gens de création. Jean-Jacques Strélisky, vice-président création à l'agence PNMD, se plaint à *InfoPresse* : « Nous [les Québécois] avons créé des superstructures de service à la clientèle et de recherche pour un petit marché, pour des trucs qui auraient plutôt demandé de la simplicité, de l'originalité et de l'oxygène » (juin 2000). Mais, comme il est question de gros sous, les gestionnaires exigent d'appliquer une procédure qui a fait ses preuves. Les psychosociologues rappellent donc aux communicateurs les lois de la persuasion ; les statisticiens ou les démographes prédisent les fluctuations du marché ; les maisons de sondages accumulent l'information sur laquelle s'appuient les créatifs pour concocter leurs slogans originaux ou leurs images décapantes. Sans recherche préalable, toute tentative d'originalité risque autrement de se transformer en coup d'épée dans l'eau.

La publicité française est une publicité pudique... [...] elle répugne à parler du produit qu'elle doit vendre.

C'est pourquoi je suis d'accord avec l'éminent publicitaire David Ogilvy. « Ce qui décide le consommateur à acheter ou pas, c'est le contenu de votre publicité, non sa forme. » Ce contenu sera défini à partir d'une masse d'information colligée par les gens de recherche. J'appelle aussi à la barre Rosser Reeves (1963), l'auteur du *Réalisme en publicité* qui me résume bien : « Non, un concepteur publicitaire en fin de carrière ne conçoit sans doute pas des annonces aussi nouvelles et brillantes que les jeunes aimeraient. Mais il peut concevoir des annonces qui généreront peut-être cinq fois plus de ventes. Et c'est ça l'objectif. » Ce qui détermine une « bonne annonce », ce ne sont pas les Lions d'or que les créatifs s'attribuent entre eux à Cannes,. La bonne annonce n'est pas l'annonce originale, celle dont tout le monde parle, mais celle qui produit la dissonance cognitive, qui remet en question l'assurance des cibles, qui les amène à réévaluer leur décision d'achat.

Mais, je le redis, les ventes ne sont pas le résultat de la publicité seule ; c'est l'ensemble du mix-marketing qui produit les ventes. Toutefois, comme c'est la marque qui constitue désormais le produit symbolique que le consommateur achète, la publicité joue un rôle grandissant dans ce *mix* ; et la publicité québécoise joue de manière serrée son rôle de « communication du marketing ». Le concepteur publicitaire québécois manie avec dextérité tous les tons, de l'humoristique au dramatique, du techno-pop au classique, de l'historique au futurisme ; les techniciens québécois, du cinéma au multimédia, affichent une compétence qui égale celle des meilleurs, que ce soit pour le son, l'éclairage, la comédie, l'animation, ainsi de suite. Bref, la publicité québécoise peut avec fierté se comparer à ce qui se fait de mieux dans les grandes capitales mondiales.

« Faire américain ou européen », la question ne se pose donc pas : ce qui convient le mieux, c'est de faire de la bonne publicité québécoise. Comme le précisait Patrick Beaudouin, président du Mondial de la publicité francophone : « On doit être reconnu comme un pays publicitaire fort dans notre produit de création, au-delà de la langue. Mais pas au-delà la culture » (*InfoPresse*, janvier-février 2001).

Acheter des vedettes

Les publicitaires utilisent largement les vedettes pour faire mousser les ventes de leurs clients-annonceurs. Qu'est-ce qu'une vedette pour les publicitaires ? Le logicien Marcel Boisot (1999) en donne cette définition éclairante dans *La Morale, cette imposture* : « La vedette, personnage charismatique et prestigieux, représente la réalisation incarnée d'un phantasme (souvent baptisé romantiquement "rêve") construit à partir d'aspirations primaires de grandeur, donc de domination. De plus, le succès flamboyant amplifié par l'image médiatique donne toujours l'impression que la vedette, qui qu'elle soit, l'a atteint sans être passée par la contrainte exécrée du travail, et par la redoutable épreuve de la sélection, ce qui est manifestement faux. » Nous, Québécois, minorisés par notre statut occulte de « peuple vaincu », aspirons à dominer ; et nous le faisons par le moyen symbolique qu'est la vedette. Nous nous vengeons de la reconnaissance internationale que nous n'avons pas, en faisant scintiller parmi les stars mondiales, notre étoile à nous, Céline !

Déjà, en 1978, le publicitaire Jacques Bouchard explique, dans son livre *Les 36 cordes sensibles [...]*, que les Québécois sont particulièrement friands de vedettes : « Il n'existe pas d'autres exemples au monde du phénomène d'imbrication que l'on observe ici entre les artistes et le public : les artistes, au Québec, sont des dieux olympiens que la publicité invoque, que les consommateurs vénèrent [...] » Ces vedettes installées sous les projecteurs de la publicité, ce sont Mario Jean qui mange des céréales Leclerc, Macha Grenon qui fait confiance à PharmaPrix, Guy A. Lepage et Sylvie Léonard qui roulent en voitures Ford... ou Claude Meunier qui boit du Pepsi depuis 15 ans !

La tendance à identifier une vedette comme porte-parole d'une grande marque semble croître. Des enquêtes sont faites continuellement pour connaître les noms des stars les plus admirées par la population. Les vedettes les plus admirées par les Québécois à l'aube du deuxième millénaire sont, dans l'ordre :

- dans les arts : Céline Dion, la méga-star de la chanson internationale, Le Cirque du Soleil, la troupe qui a renouvelé l'art du cirque à l'échelle planétaire, Meunier, le pape de l'humour absurde québécois qui leur ressert leur *P'tite vie* ;
- dans le sport : Jacques Villeneuve, la coqueluche des fans de Formule 1, Wayne Gretzki, le meilleur joueur de tous les temps en hockey professionnel, Myriam Bédard, double médaillée d'or de biathlon aux Olympiques.

Mais la notoriété est une aura volatile. Un an plus tard, c'est Yvon Deschamps qui détient la première place chez les artistes... suivi de trois autres humoristes — l'époque est à la gaieté ! Dans le sport, Jacques Villeneuve est toujours bon premier.

Mais parlons du cas de Gretzki. Dès qu'il annonce qu'il se retire du hockey professionnel, il reçoit des milliers — oui, des milliers ! — d'offres pour que son nom soit associé à un produit ou à un autre. Et ce ne sont pas seulement les fabricants de patins à glace ou de hockeys qui lui font des offres. À la fin de 1999, il a déjà signé une dizaine d'ententes d'envergure. Il est associé, par exemple, à la campagne de l'arthrite (!) par l'analgésique Tylenol, aux céréales Post de Kraft, aux grands magasins La Baie, aux pneus d'hiver UltraGrip de Goodyear. « Les qualités de Gretzki correspondent à celles de nos pneus : performants en hiver et sur la glace » dit Marco Molinari, vice-président des ventes nord-américaines. Une phrase sans doute ciselée par les relationnistes de Goodyear et apprise (et répétée !) par Molinari.

Mais ce ne sont pas toutes les célébrités qui sont prêtes à se vendre aux marchands pour quelques milliers de dollars. Le vulgarisateur scientifique Fernand Seguin s'y est toujours refusé — comme bien d'autres sans doute. Il était l'animateur de l'émission de télé *Le Sel de la semaine*, l'émission suscitant la plus forte cote d'écoute à Radio-Canada. Célèbre comme il était, on comprend que les publicitaires se bousculaient pour le convaincre d'obtenir son cautionnement pour leurs produits. Il avait honte de voir un scientifique comme Léon Lortie apparaître en sarrau blanc pour vanter le réfrigérateur Admiral. « Ça me trouble de le voir utiliser sa crédibilité de savant pour vendre des appareils ménagers. Je me suis alors rendu compte que la télévision est d'abord et avant tout une affaire d'image et qu'il n'y a rien de plus fragile que l'image et la crédibilité d'un individu. C'est à ce moment-là que je me suis bien promis de toujours refuser de faire de la publicité » (Jean-Marc Carpentier, *Fernand Seguin, le savant imaginaire*, 1994).

Les chefs-d'œuvre du patrimoine mondial sont pillés par les publicitaires pour dorer les marques d'une aura éprouvée.

Les vedettes donnent en effet de la crédibilité à un produit, quel qu'il soit. Imaginez la valeur que peut avoir le témoignage de la diététiste-vedette d'un grand réseau de télévision quand elle associe son nom à un aliment ; même si elle ne le promeut pas comme tel, elle lui transfère de la crédibilité par le seul fait que son nom ou son image soit associé au produit. La marque acquiert ainsi une valeur supplémentaire. C'est ainsi que les chefs-d'œuvre du patrimoine mondial sont pillés par les publicitaires pour dorer les marques d'une aura éprouvée. Danièle Schneider, historienne de l'art, a organisé en 1999 l'exposition *Détourn'art — le détournement de l'art dans la publicité de 1850 à 1997*. Elle écrit dans *Art-Pub : La pub détourne l'art* : « L'art est le mythe auquel la publicité tend à s'identifier, en assimilant ses qualités, voire sa nature. Le sommet du processus est atteint lorsque, à son tour, la publicité devient œuvre d'art » (1999). Justement, comme le fait remarquer Georges Roque (1983) dans *Ceci n'est pas un Magritte* : « [C'est] moins dans les musées et les salles d'exposition que l'on peut voir aujourd'hui la "postérité" de Magritte que dans les rues, par de grandes affiches publicitaires ou politiques, dans les librairies par un nombre croissant de livres dont les couvertures reproduisent ses tableaux, de magazines dont les publicités utilisent ses procédés, ou chez les disquaires par les pochettes de disques, etc. » Les marketers font flèche de tout bois. La publicité récupère toutes les idées à la mode. Une publicité de Sprite imite une chanson de l'album Dispepsi du groupe Negativland, les spécialistes du *sampling* qui militent pourtant pour la « résistance culturelle ». Mark Hosler, un des artistes du groupe qui questionne la surconsommation, raconte à Jere Chandler du *Birmingham Weekly* (*Rewind online*) qu'il reçoit en 1997 une offre de l'agence de publicité Wieden & Kennedy (l'agence de Nike et de Microsoft) pour concevoir une ritournelle pour la bière Miller... Hosler explique que l'agence les a pressentis parce que se dessine cette nouvelle tendance en publicité qui consiste à faire « de la publicité qui parodie la publicité. »

Même « l'art officiel » joue le jeu de la publicité en ventant ses activités par tous les moyens. Le samedi 26 mai 2001, le Musée d'art contemporain patronne une performance du photographe new-yorkais Spencer Tunick : photographier au petit matin dans une rue du centre-ville une foule de personnes complètement nues. Évidemment, le lendemain, *La Presse* présente en première page une photo sur quatre colonnes avec le titre LES MONTRÉALAIS À NU DEVANT L'OBJECTIF — LE PHOTOGRAPHE EN ATTENDAIT 300 ; IL EN EST VENU 2 500. « Au Musée [...] l'ambiance frôlait la folie, écrit Jérôme Delgado. Visiblement, Montréal n'était pas aussi prude qu'on le croyait. » Le même jour, on relève une publicité d'une demi-page reprenant une photo de l'artiste, diffusée par le Musée pour annoncer son exposition *Métamorphoses et clonage*.

Mais, comme le prédisait le peintre-publicitaire Andy Warhol, « à l'avenir, nous serons tous vedettes pour 15 minutes ». Le musicien Nick Currie, alias Momus, observant la réalité d'aujourd'hui, retourne la formule : « Je crois plutôt qu'à l'avenir tout le monde sera célèbre pour quinze personnes » (*Voir*, 18 novembre 1999). Effectivement, avec l'envahissement médiatique décuplé depuis l'arrivée d'Internet, les jeunes en sont venus à sacrifier leur intimité à la célébrité. Revenons à *Big Brother*, le premier *reality show* inventé par les Hollandais. L'émission de télévision présente chaque jour un condensé d'une journée de 24 heures vécue par 10 personnes, cinq hommes et cinq femmes. Ces personnes se constituent prisonniers volontaires et acceptent de vivre 24 heures sur 24 durant 100 jours devant 28 caméras et 47 micros. Les cobayes, choisis parmi 20 000 candidats prêts à tenter l'expérience, espèrent décrocher le grand prix de 150 000 $ remis à la personne qui tient jusqu'au bout sans lâcher... ni être éliminée par le vote des spectateurs que l'on sonde tous les quinze jours. La chaîne allemande qui présente ce *freak show* a investi quelque 20 millions de dollars dans l'affaire. « Elle table sur près de 25 millions d'euros de chiffre d'affaires grâce à la publicité, vendue à prix d'or sur de longues plages, et se réjouit déjà des 3,3 millions de téléspectateurs enregistrés lors de la première » (*La Presse*, 4 mars 2000). La première émission du genre, *Big Brothers*, a été lancée aux Pays-Bas ; puis l'Angleterre a repris l'idée ; les chaînes privées des États-Unis ou du Canada flairent la belle affaire et emboîtent le pas ; c'est *Survivor* aux États-Unis ou *Loft Story* en France... parce que les publicitaires sont intéressés à payer le gros prix pour pouvoir diffuser leurs messages sur les ondes aux immenses auditoires adeptes de ce genre d'émissions voyeuristes.

Quand il s'agit de télévision, de gros montants sont nécessaires pour rentabiliser les ondes ; mais les nouveaux médias permettent au commun des mortels de prétendre à de larges publics avec quelques centaines de dollars d'équipement. « Certains ont décidé de franchir le pas et de devenir des stars à part entière du Web en mettant en scène leur vie quotidienne. Telle Jennifer Ringley, une graphiste américaine de 23 ans qui a truffé son appartement de Washington de petites caméras retransmettant sur le Web l'intégralité de ses faits et gestes, y compris les plus intimes. La belle est devenue si populaire qu'elle est fréquemment invitée dans des émissions de télévision ou contactée par des photographes. [...] Des fenêtres sur la vie quotidienne qui se transforment donc en véritable business » (*La Presse*, 12 mars 2000). C'est que se pose, à la clé, la possibilité d'intéresser les publicitaires et leurs budgets de persuasion consommatoire.

On se trouve donc ici devant deux motivations : la gloire et l'argent. Les jeunes sont hypnotisés par la gloire à laquelle accèdent leurs héros musiciens ou vedettes de cinéma. À ce vedettariat se trouvent rattachés la vie de luxe et l'argent. Les jeunes qui éparpillent ainsi leur image à tout venant dans l'éther caressent tous, secrètement, le rêve qu'un large public viendra éventuellement se brancher sur leur site. Cet achalandage devient un auditoire (ou un marché) qu'il est possible de vendre ensuite aux annonceurs qui paient éventuellement le gros prix pour exposer leurs produits à ces visiteurs.

Les artistes les plus éthiques courtisent désormais les publicitaires : eux aussi veulent leur juste part des millions de dollars que l'on peut cueillir en harnachant un *business team*. William Broyles Jr., le scénariste du film *Seul au monde*, va voir Frederick W. Smith, pdg de FedEx pour lui expliquer que la marque FedEx joue un rôle de premier plan dans son scénario. Broyles demande seulement le soutien logistique pour réaliser les scènes où le héros, cadre chez FedEx, intervient pour rendre à bon port les marchandises qui sont confiées au transporteur. Broyles déclare que Hanks et lui se sont rapidement mis d'accord pour que le personnage soit un cadre de FedEx qui est « le symbole parfait de l'entreprise américaine moderne » (*Wall Street Journal*, 17 décembre 2000). Résultat : le symbole FedEx est le personnage principal des 15 premières minutes du film, sans compter les multiples apparitions tout au long de ces 143 minutes de drame. Le pactole ! Tout ça obtenu gratuitement par FedEx ?

Plusieurs comédiens voient la publicité-témoignage ou le placement de produits simplement comme du bon voisinage.

Les vedettes — et leur entourage, maman comme bébé ! — deviennent aujourd'hui, avec leur propre collaboration, des produits de mise en marché. « La famille Angelil-Dion n'est pas une famille comme les autres, et le petit René-Charles n'est pas un enfant comme les autres. Avant de savoir parler et marcher, il est déjà un produit et peut-être une marque déposée. [...] Mais, même dans un monde mercantile, il faut parfois se demander où l'on doit aller. Par exemple, Céline ne pose pas nue. [...] Cette fois-ci, Céline Dion et René Angelil ont vraiment franchi une limite. Plus de traces d'amour pour le public ou de générosité, mais beaucoup de cynisme et, surtout, une grande vulgarité. Même dans la joie de la paternité et de maternité, le couple célèbre, pourtant à l'aise, a d'abord pensé au marketing et a fait de son enfant une marchandise » (*La Presse*, 28 février 2001).

À partir de maintenant, on peut imaginer que ce sont les vedettes des films pornographiques qui feront la publicité des grandes marques de (dé-)vêtements pour les jeunes. « E.T. vendait les chocolats Reese, Austin Powers poussait la Heineken, Tom Cruise a fait augmenter de 80 % les ventes de verres fumés Oakley qu'il portait dans *Mission impossible 2*. Et maintenant ce sont [les vedettes porno] Shelbee Myne, Jane Lixx et Charlie Angel qui font la promotion de vêtements mode dans des films *hardcore* comme *The Watcher 8 : Operation Voyeurism* ou *Colorblind : A Van Fantasy*. Avant que les fringues se retrouvent en tas sur le plancher, on voit clairement le logo du fabricant sur les poitrines des gars et des filles sur le point de s'envoyer en l'air : Eckõ Unlimited » (*Los Angeles Times*, 27 juillet 2000).

Tout a un prix, dit-on ; on peut même « acheter des vedettes ». Parfois, on se demande si c'est Eckõ Unlimited qui s'achète *Charlie Angel* ou *Charlie Angel* qui s'achète Eckõ Unlimited... Comme le fait remarquer Anne-Marie Voisard, plusieurs comédiens voient la publicité-témoignage ou le placement de produits simplement comme du bon voisinage : « Francine Ruel, qui joue le rôle de Marcelle dans *Diva*, qualifie [cette publicité qui consiste à placer des produits dans les scénarios] "d'entraide déguisée". Il y a avantage, selon elle, à tirer profit "d'alliances naturelles". Dans *Scoop*, où elle faisait Léonne-la-journaliste, on lisait *La Presse*. Pareil pour Diva, une agence de mannequins, avec la mode. Les "plogues" de vêtements entrent dans le téléroman » (*Le Soleil*, 11 avril 1999).

La comédienne Sophie Lorain a interprété des rôles remarqués dans des dramatiques télévisées comme *Omerta* et *Urgence* ; elle a obtenu des trophées Métro Star qui sont des prix du public ; en 2001, elle joue le rôle principal de la série policière *Fortier*. Aussi, les publicitaires ont-ils décidé de proposer à Danone de recourir à Lorain comme porte-parole pour ses yogourts légers Silhouette. Personne n'admettra qu'il achète ses aliments santé simplement parce que c'est une vedette qui les vante ; pourtant, un an après le lancement de cette publicité, le pdg de Danone Canada avoue que les ventes de son yogourt Silhouette ont grimpé de 45 %.

Imposer une image de marque

Dans les villages d'autrefois, l'endroit où l'on pouvait se procurer les marchandises pour répondre aux besoins élémentaires était le magasin général. Au magasin général, on vendait aussi bien des aliments que de la quincaillerie ou de la marchandise sèche. Le marchand était à la fois le vendeur et la « banque » ; souvent, il « marquait » ses ventes, consentant du crédit à plus ou moins long terme sur la seule réputation de l'acheteur. Depuis les années soixante, le magasin général cède la place aux boutiques spécialisées... que l'on retrouve dans les centres commerciaux des grandes villes.

Au magasin général, le marchand ne vendait pas un nom de marque, un logo, une image de marque ; il vendait en vrac. C'était la réputation du marchand qui entraînait la confiance des consommateurs envers un produit. Sucre ou mercerie provenaient d'une vague source. Ce n'est qu'avec la publicité que la marque finit par acquérir une confiance plus grande que celle qui était accordée au marchand local.

Puis, avec la puissance industrielle grandissante, est né le magasin à rayons (que le Français appelle « grand magasin »). L'idée de magasin à rayons ne peut fonctionner que dans un environnement adéquat, c'est-à-dire une importante agglomération d'habitants, du transport public et... l'électricité qui permet l'éclairage des grandes surfaces et la mise en place de services modernes comme l'ascenseur. C'est à Paris que le premier magasin à rayons voit le jour sous la raison sociale *Au Bon Marché* connu pour son magnifique dôme central en verre et métal dessiné par Gustave Eiffel.

Mais c'est Sears Roebuck qui devient la plus importante chaîne de grands magasins au monde. Richard Sears a 23 ans quand il décide de vendre par correspondance en 1886. Sears ne sait pas qu'avec l'aide de son associé, Alvah Roebuck, l'entreprise deviendra le symbole du marketing par correspondance et des grands magasins avec plus de 60 milliards de dollars de revenus annuels.

De nos jours, les grands magasins disparaissent lentement des villes. À Montréal, Dupuis, puis Ogilvie et Eaton sont disparus ; à Québec, Paquet, Pollack et Laliberté ont fait de même. Les grands bazars commerciaux, ce sont aujourd'hui les centres commerciaux. Un centre commercial comme Place Laurier à Québec rassemble près

La fausse Betty Crocker

La compagnie Washburn Crosby, ancêtre de General Mills, « invente » Betty Crocker en 1921. L'entreprise veut, écrit-elle, signer de manière crédible les réponses postées aux ménagères. Le nom est celui d'un cadre retraité, le prénom est choisi simplement parce qu'il est familier. La signature calligraphique de Betty est choisie à la suite d'un concours lancé auprès des employés.

Toujours la même et pourtant différente au cours des années, Betty est rajeunie par les publicitaires qui la coiffent ou l'habillent à la mode (sage !) du temps. Betty Crocker est devenue la personnalité-logo rentable pour une foule de produits General Mills, qui profite ainsi d'une forte image de marque.

de 300 boutiques ; l'Edmonton Mall ou les Galeries de la capitale sont aussi bien des centres de loisirs que des centres commerciaux ; on y trouve des glissades d'eau, des patinoires, des jeux de fête foraine, des jeux électroniques, des spectacles, ainsi de suite.

En parallèle se sont développées les grandes surfaces à escompte (dont plusieurs déguisées en « clubs d'achat » plus ou moins fermés). Ces super-magasins sont en train de rafler une importante portion du commerce de détail, vendant désormais des vêtements, des articles de sport, des cosmétiques, des produits pharmaceutiques, des appareils électroniques, des livres et des aliments. Avec ses 3 000 magasins et ses 200 milliards de dollars de ventes par année, Wal-Mart à lui seul est devenu la plus grosse chaîne de vente au détail au monde.

La publicité joue un rôle important dans cette transformation du commerce de détail, mais c'est toujours l'ensemble du mix-marketing qui produit les résultats : de bons produits, des prix compétitifs, du bon service... et de la communication efficace. Les marketers considèrent que les seuls magasins qui survivent à la compétition féroce sont ceux qui permettent aux consommateurs de « vivre une expérience » comme ils disent : un décor agréable, un service personnalisé, un choix varié ou exclusif.

La publicité, elle, ajoute une valeur symbolique à un produit, valeur pour laquelle les consommateurs sont prêts à payer davantage. Un collier venu de chez Tiffany à New York ou de chez Cartier à Paris vaut bien davantage que le même collier acheté chez le joaillier du quartier. Par ailleurs, une marque de prestige ne peut prendre le risque de perdre une large (et rentable) clientèle en sacrifiant à la qualité ; la marque garantit donc indirectement la constance dans la qualité.

Le professeur James B. Twitchell (1996) affirme dans *AdCult USA* : « Nous vivons par les objets. Nous nous créons par les objets. Et nous nous changeons en changeant nos objets. Nous dépendons souvent de tels objets matériels pour trouver du sens à la vie. » Il est triste de penser que, pour certains, le sens de la vie leur vienne d'objets ? Oui, mais tellement humain ! Qui ne fait pas collection de petits objets, n'amasse pas de petits souvenirs qui donnent sens à sa vie ? Rappel de personnes, d'endroits, de moments ? Un caillou, un papier, une mèche de cheveux...

C'est sur ce besoin fondamental *de sens* que joue le publicitaire astucieux. Les messages-images qu'il fabrique servent à façonner ce sens, à infuser du sens à un objet, à une marque, puis à déclencher chez sa cible le besoin d'acquérir cet objet de marque... la cible imaginant être ainsi de manière plus aiguë la personne qu'elle est, mais surtout pensant devenir davantage celle qu'elle croit être ou qu'elle veut être. Quelles sont les 10 marques les plus connues comme objets de luxe dans le monde occidental ? Armani, Laura Ashley, Bang & Olufsen, Bulgari, Pierre Cardin, Cartier, Chanel, Chivas Regal, Christofle et Daum. Est-ce que ce ne sont pas des marques qui excitent le besoin de paraître, confortent l'appétit de réussite, peuplent les univers de rêve de maints individus ?

Entre les mains du publicitaire habile, l'image devient un instrument de persuasion quasi magique.

Les images des publicitaires sont constituées d'éléments avec valeurs symboliques évidentes dans une société donnée ; ces éléments transfèrent leurs sens aux produits auxquels ils sont accolés. Ainsi, le consommateur acquiert le parfum Obsession parce qu'il espère acquérir par lui le pouvoir de séduction suggéré par les beaux corps de l'image publicitaire ; il achète chez Yves Rocher (de Paris, oui Madame !) pour pouvoir disposer de l'élixir de jouvence suggéré par le paysage de verdure luxuriante ; il se procure le stylo Mont blanc pour parvenir au succès affiché par les protagonistes de *Business Week* dans lequel est insérée cette publicité. Entre les mains du publicitaire habile, l'image devient un instrument de persuasion quasi magique ; aussi, la publicité contemporaine s'appuie-t-elle essentiellement sur l'image.

Il existe par ailleurs des produits de prestige, manufacturés en petite série, dans le seul but d'écrémer un marché haut de gamme à des prix exorbitants ; les acquéreurs de ces objets forment une classe à part dont les membres s'identifient à ces noms prestigieux : Steinway pour les pianos ou Rolls-Royce pour les limousines.

Les grandes entreprises transnationales sont toutes propriétaires d'images de marques capables de susciter de fortes valeurs symboliques... et de générer d'énormes profits. Si ces images de marque ont acquis une si grande valeur, c'est aussi parce que leurs propriétaires sont puissants de leur argent, dont des experts qu'elles peuvent employer, des *lobbies* qu'elles peuvent entretenir, de la publicité qu'elles peuvent diffuser. Sans compter les avocats qu'elles peuvent embaucher pour défendre leurs intérêts contre l'usurpation ou la contrefaçon de marque. Ces compagnies que l'on dit « limitées » ne le sont pas dans leurs tactiques, légales ou extralégales, pour étendre leurs marchés ; elles ne sont limitées que dans leur responsabilité financière.

La synergie que les marketers réussissent à produire en recourant concurremment à l'argent et à l'image de marque leur permet d'étendre leurs marchés de manière quasi exponentielle. On s'aperçoit que, dans plusieurs secteurs d'activité, une ou deux grandes entreprises détiennent ainsi à toutes fins utiles le statut de monopole (quand le marché n'appartient pas à un joueur unique, on parle plutôt d'oligopole). Qu'est-ce qu'une situation monopolistique ? Une telle situation existe quand une entreprise occupe une part de marché tellement grande qu'elle peut presque fixer les prix de vente, et, le consommateur n'ayant accès à aucun autre choix valable, les fixer à un niveau qui lui assure des bénéfices déraisonnables. La loi britannique définit la situation monopolistique comme un marché où une seule entreprise (ou un groupe d'entreprises qui agissent de concert) détient plus de 33 % de part de marché, et peut donc fixer les prix ou opposer un frein à l'entrée de nouveaux joueurs sur le marché. Sur le plan de la communication publicitaire, une situation monopolistique est confirmée quand le consommateur ne connaît qu'une marque, les autres étant enfouies dans la brume de l'inconscience. Pour parvenir à un marché monopolistique, le rôle de la publicité est déterminant : c'est elle qui construit l'image de marque, différenciant ainsi les produits artificiellement, elle qui greffe sur eux des valeurs symboliques telles qu'une large partie de la population les préfère à tous les autres : Nike, Adidas ou Ethnies, ces chaussures de sport sont toutes fabriquées dans le tiers-monde selon un modèle similaire. L'entreprise qui en vend le plus est celle qui réussit à construire la valeur symbolique de marque la plus prisée par le marché visé.

Des lois existent pour empêcher les cartels, les ententes entre entreprises pour contrôler un marché à leur avantage ; mais, par la ruse, les puissants réussissent à contourner l'esprit de la loi tout en l'observant à la lettre. Par leur publicité, leurs relations publiques, leurs lobbies et autres Sommets, les grandes multinationales essaient de convaincre les citoyens que la situation monopolistique est inexistante. Voici cependant ce qu'en pense l'*Encyclopaedia Britannica* : « Dans le secteur manufacturier, il existe environ 400 domaines d'activité [...] dans la moitié des domaines, il y a suffisamment de concentration de l'offre pour que l'on puisse les qualifier d'oligopoles » (« Monopoly and competition », *Encyclopœdia Britannica Online*). Et l'auteur ajoute que la tendance monopolistique se fait sentir davantage au Japon, en France et au Canada qu'aux États-Unis.

Dans les sociétés postindustrielles, les marchés sont hautement compétitifs et la qualité des produits est relativement constante ; les produits sont donc, objectivement, difficilement différentiables. « Tout le monde peut fabriquer un produit, écrit Naomi Klein (2001) dans *No Logo*, [...] Par conséquent, cette tâche subalterne peut et doit être confiée à des fournisseurs [...] idéalement au Tiers-Monde où la main-d'œuvre coûte trois fois rien [...]. Pendant ce temps, le siège social peut se concentrer sur l'essentiel — créer une mythologie commerciale suffisamment forte pour, du simple fait de signer son nom [le logo, l'image de marque], insuffler un sens à ces objets bruts. » C'est pourquoi la clé des marges bénéficiaires confortables réside dans la « qualité perçue », une valeur symbolique qui est exaltée par la publicité. Les produits « nature » comme les produits de la terre n'ont pas ou peu de valeur symbolique ajoutée ; pourtant, générée par les millions des transnationales, la notoriété des bananes Chiquita ou Dôle est bien réelle ; cette tendance à dorer d'un nom de marque un produit de la nature tend à s'élargir (une tomate Savoura est pour le consommateur moyen bien meilleure qu'une vulgaire tomate sans nom !) ; et c'est ce que tentent de contrôler par tous les moyens les conglomérats qui travaillent sur les organismes génétiquement modifiés (OGM) —dont ils veulent « patenter » la propriété. Les objets industriels produits à la chaîne (comme un stylo-bille) profitent, eux, pratiquement toujours de la valeur ajoutée par un nom de marque.

Dans les secteurs d'activité matures où plusieurs marques se disputent le marché, la publicité devient cruciale puisque la valeur du produit tient alors largement à l'image de marque. « Vaut mieux se battre pour des valeurs que pour un rapport qualité-prix » pense Jean-Noël Kapferer (*InfoPresse*, juillet-août 1997). Naguère chercheur universitaire et bien connu pour sa synthèse doctorale intitulée *Les Chemins de la persuasion*, Kapferer (1978) a compris qu'il y avait plus d'argent à faire à travailler à la solde des grandes marques qu'à faire de la recherche universitaire. Détourner le consommateur de la décision rationnelle qualité-prix pour l'amener à payer pour une valeur « symbolique » : tout l'art de l'image de marque est là. Tel cola est semblable à tel autre : de l'eau, du sucre, de l'arôme et du gaz carbonique ; or certains sont prêts à payer trois ou quatre fois le prix pour leur Coke ou Pepsi préféré. La valeur de la marque se compte alors en huards sonnants et trébuchants.

La publicité construit des images mentales et les consommateurs se nourrissent de ces images, de ces symboles. Ces symboles rattachent à une échelle de revenu, à une origine sociale, à un groupe religieux, à un segment démographique, ainsi de suite. Dans les sociétés « avancées », on ne boit pas de l'eau. On boit de la Montclair, ou de l'Évian. Ou mieux, de la Pellegrino... De cette dernière façon, on affiche qu'on fait partie de l'intelligentsia ou du *jet set* de 2001 ! C'est en effet le travail de la publicité de construire des images de marque. Je suis un jeune loup du marketing. Pensez-vous que je vais m'afficher avec une chemise à 20 $ de chez Wal-Mart ? Non, j'aime mieux la payer 125 $ chez Holt Renfrew... et que ce nom de marque soit écrit dessus. Le consommateur s'enveloppe de symboles qui le représentent.

Pourquoi payer plus cher un Sony qu'une autre marque de produits électroniques ? Peut-être parce que c'est un meilleur produit, mais surtout parce qu'il faut payer pour obtenir la marque la plus prestigieuse au monde (Coke est la plus connue mais Sony est la plus prestigieuse). Le consommateur est prêt à payer pour ça. Comme l'écrit l'universitaire James Twitchell (1996) dans *AdCult USA*, « ce que la publicité transmet, c'est ce que nous savons, ce que nous avons en commun, ce en quoi nous croyons, c'est ce que nous sommes, c'est nous. » La mission de la publicité, c'est de créer un engouement pour les images de marque de telle sorte qu'elles deviennent les nouvelles icônes de cette religion consommatoire. Adieu le *Christ Pantocrator*, adieu *La Joconde* de Vinci ou *La Jeune Fille au turban* de Vermeer ; ce sont maintenant de publicités dont les jeunes habillent leurs murs ; dans toutes les grandes villes, on retrouve des marchands de « reproductions » ; les jeunes y achètent davantage d'affiches publicitaires de Nike, de Citizen Watch, de Bain de Soleil, de LaBeetle ou de *Titanic* que de tableaux classiques.

Les logos des marques acquièrent eux-mêmes une valeur monnayable... et affichable. Lacoste est le premier qui, dans les années trente, a ostensiblement affiché son crocodile sur ses chemises de tennis. Depuis, l'attrait de la marque est devenu tel que les jeunes acceptent de devenir eux-mêmes des hommes et des femmes-sandwich. Naguère, on était payé pour être un homme-sandwich, maintenant on paie pour le devenir : plus le nom de marque est écrit gros sur leur poitrine, plus les jeunes sont prêts à payer cher pour un vêtement Hilfiger ou Gap. Un jeune qui porte une grande marque a l'impression de s'inscrire au registre des élus. Naomi Klein, l'auteure de *No Logo*, explique que les grandes marques « vendent l'illusion de faire partie de quelque chose de plus grand que soi, comme la religion ou la fierté nationale ». Porter un logo est valorisant pour les jeunes d'aujourd'hui — et quel que soit leur niveau d'éducation ou de revenu. Cela démontre bien le prestige et l'importance de la marque pour les jeunes Québécois ; d'ailleurs, il y a deux fois plus de Québécois qui boudent les produits sans marque que la moyenne canadienne !

Mais, là encore, on peut constater que l'éducation permet de « lire » plus facilement les messages publicitaires, de les déchiffrer, de les démasquer, de s'en défendre. Le professeur Jacques Nantel de l'École des hautes études commerciales de Montréal rapporte que plus les citoyens sont instruits, plus ils se détournent des grandes marques (qui présentent souvent plus de coût ajouté que de valeur ajoutée) pour acheter des « produits sans nom » et à moindre prix (« Un marketing du 21e siècle pour un consommateur du 21e siècle », *The Canadian Business Report*, n° 14, 1995).

Les marques évoluent mais elles demeurent elles-mêmes. Dans chaque secteur d'activité existe une reine, une marque leader incontestée. Les grandes marques forment en effet une aristocratie dans laquelle les prétendants les mordillent continuellement sans réussir vraiment à les détrôner. Il est connu que nombre de marques leaders dans les années vingt le sont encore en 2000 : les soupes Campbell's, Coca-Cola, les piles Eveready, les lames Gillette, les pellicules Kodak, les biscuits de céréale Nabisco, les machines à coudre Singer, la gomme à mâcher Wrigley.

Mais il n'est pas facile d'imposer une marque ; les consommateurs sont capables de garder en tête qu'une ou deux marques pour chaque grand secteur de commerce. Ainsi, à Montréal au printemps 2000, la maison de recherche Descarie & Complices a posé la question : « Lorsque vous pensez à des marques de café en grains, quelle marque vous vient à l'esprit en premier ? » Cité par 27 % des répondants, Maxwell House était toujours le nom le plus célèbre dans le domaine du café ; mais il était dangereusement talonné par A.L. Van Houtte, mentionné par 25 % des répondants ; la troisième marque citée, Nescafé, n'obtenait plus que 17 % des mentions. Dans certains secteurs, ce sera seulement un segment de la population qui réussira à retenir une ou deux marques. Prenons les vêtements de plein air, pour l'ensemble de la population, 29 % des répondants n'arrivent pas à citer un seul nom de marque ; il est intéressant de constater cependant que 78 % des jeunes de 18 à 34 ans peuvent en citer une — et 85 % des plus riches y arrivent (*La Presse*, 8 et 15 mars 2000). On a compris dans cet exemple que certains consommateurs seulement sont fortement influencés par le prestige de la marque : ceux qui peuvent se permettre d'y mettre le prix.

Naguère, on était payé pour être un homme-sandwich, maintenant on paie pour le devenir.

Les marques sont de nos jours de tels aspirateurs d'acheteurs qu'elles sont piratées, contrefaites, plagiées. La valeur du nom Coca-Cola comme marque est estimée à 50 millards de dollars (c'est-à-dire qu'on pense, avec ce seul nom, pouvoir générer au moins autant de revenus dans l'avenir). De toutes sortes de manières. Par exemple, dans le temps des fêtes de fin d'année 2000, les disquaires faisaient place à un présentoir qui contenait une collection de disques de musique de Noël... sous la marque Coca-Cola, qui cautionnait cette édition par le prestige de son nom. Le Français Jean-Noël Kapferer (1991) écrit dans *Les Marques, capital de l'entreprise* : « Avant 1980, on cherchait à acheter une usine de chocolat, de plats cuisinés. Après 1980, on désirait acheter [...] la marque KitKat ou Buitoni. Cette distinction est de taille : dans le premier cas, il s'agit d'acheter une capacité de production ; dans l'autre, [il s'agit d'acheter] une part de l'esprit des consommateurs. » La marque diffusée par l'entremise de son image visuelle — les fameux logos ! — s'impose par la répétition dans l'esprit des consommateurs.

Des produits qui jouaient naguère encore, par leur nature même, d'un prestige social énorme sont aujourd'hui challengés par des produits de luxe qui misent essentiellement sur le nom de marque. C'est si vrai que le diamant même n'a plus l'attrait qu'il avait. Aussi, le géant sud-africain DeBeers, cartel qui contrôle le marché du diamant depuis les années trente vient, pour garantir son avenir, de réaligner ses activités sur le nom de marque. Un « label de qualité » sera associé au diamant et publicisé à travers le monde au coût de 170 millions de dollars de publicité. Même le diamant a besoin de publicité !

Les gens d'affaires prennent conscience de manière aiguë du pouvoir de la marque. L'Office de la propriété intellectuelle du Canada (OPIC) à Ottawa reçoit *chaque semaine* 800 demandes d'enregistrement de marques qui viennent aussi bien de l'étranger que du Canada. Aujourd'hui, ce n'est plus seulement le nom qui est enregistré comme marque mais aussi une forme (la bouteille de ketchup Heinz), une couleur (le jaune de Kodak), un son (le rugissement de lion de la *major* du cinéma MGM) ou quelques mots (*The real thing* de Coke).

Comme dit Frédéric Beigbeder (2000) dans *99 francs* : « Bientôt [...] on ne sera plus citoyen d'une nation mais on habitera des marques : on vivra en Microsoftie ou à Macdonaldland ; on sera CalvinKleinien ou Pradais. » Ce sont ceux-là qui auront réussi à imposer une image de marque.

4

La publicité et ses aboutissements

Joel S. Dubrow, responsable de la recherche en communication chez Coke-Atlanta, explique ce qu'il attend de la publicité : « Pavlov a pris un objet neutre [la cloche] et l'a associé à un objet significatif [pour le chien, la viande], transformant le premier objet en symbole du deuxième ; c'est grâce à la visualisation qu'il a réussi à ajouter une valeur au deuxième objet. C'est ce que nous essayons de faire avec la publicité moderne » (*Wall Street Journal*, 19 janvier 1984). L'aboutissement ultime rêvé par tous les grands annonceurs est de transformer les consommateurs en « chiens de Pavlov ». Coca-Cola limitée a assez bien réussi : selon Charles F. Frazer, professeur émérite de publicité à l'Université de l'Oregon, il se consomme en Amérique du Nord environ 395 canettes de 8 onces de Coke par habitant, et Coca-Cola vise une augmentation des ventes de 7 % à 8 % par année et promet à ses investisseurs des rendements à long terme de 15 % à 20 % (*The Atlanta Journal-Constitution*, 27 janvier 2000).

Jean-Noël Kapferer (1991), le spécialiste de la valeur des marques, explique dans *Les Marques, capital de l'entreprise* : « La philosophie de Coke tient dans le principe dit des trois A : *availability*, *affordability* et *awareness*. » Autrement dit, faire en sorte que Coke soit accessible partout, qu'il soit offert à un prix abordable, et que le nom soit toujours *top of mind* dans la tête du consommateur. C'est pourquoi Coke est maintenant offert aux caisses des Zellers, près des pompes des stations d'essence, et dans les corridors des écoles. C'est l'aboutissement de campagnes de publicité bien orchestrées.

Dans la présente partie, nous allons examiner quelques-uns de ces aboutissements. Alors que le Québec est constellé de 50 000 lacs, les Québécois ont-ils vraiment besoin d'acheter leur eau en bouteilles et de boire autant de café ou de boissons gazeuses ? Bien sûr que non : ils n'en ont pas *besoin* au sens physiologique du terme, mais, comme nous allons l'évoquer dans un premier temps, ils ont un besoin-désir irrépressible de le faire parce que la publicité crée des besoins en ne présentant que des demi-vérités, en jouant sur les valeurs sociales et en séduisant l'imagination avec ses images singulières et ses beaux mots.

Dans un deuxième temps, nous allons voir que la publicité attaque les terrains vierges. Elle sollicite notre entourage dès que nous naissons, nous courtise à l'école et nous finirons par la retrouver dans notre soupe... si nous ne la retrouvons pas comme commanditaire de notre propre enterrement !

Dans un troisième temps, nous allons enfin constater que la publicité ramollit l'être. Elle exacerbe les besoins du peuple « en pain et en jeux » selon les mots que le poète Juvenal (*Satires*) utilisait pour stigmatiser le peuple romain ; elle force les médias à se censurer ; elle diffuse une culture matérialiste, tout cela menant à un immense gaspillage de nos ressources naturelles, de notre temps et de notre créativité.

La publicité crée des besoins

La publicité répond-elle à nos besoins ou suscite-t-elle de nouveaux besoins ? Voilà une question qui revient régulièrement dans les conversations. Les publicitaires expliquent alors qu'ils ne font que répondre à nos besoins non conscients ; puis ils vous rappellent que l'esprit du marketing lui-même est basé sur la satisfaction des besoins du consommateur. « Nous ne fabriquons et n'annonçons que ce que le consommateur désire. Le consommateur veut des voitures puissantes et rondes ? Nous en fabriquons (et ne faisons pas comme dans les économies planifiées où les voitures sont désuètes et puent le diesel !). Le consommateur veut des savonnettes blanches et crémeuses ? Nous en fabriquons (et nous sommes prêts à investir des sommes faramineuses en recherche pour mettre au point des savonnettes qui décrassent facilement et exhalent leur fragrance préférée !). Le consommateur cherche la nouveauté dans sa façon de se vêtir ? Nous faisons des efforts énormes pour que des designers géniaux dévoilent chaque année de nouveaux prototypes dans des défilés de mode coûteux ! »

Remarquons le glissement. La question posée est : « La publicité répond-elle à nos *besoins* ? » Or, au milieu du paragraphe, on en vient à discuter de ce que « le consommateur *désire* ». Là réside tout le problème. Si l'on s'arrête aux besoins stricts, la liste est courte. La liste des besoins présentée en « échelle » des plus impératifs aux plus facultatifs par le psychologue Abraham Maslow en 1954 montre que nous satisfaisons d'abord nos besoins instinctuels, et que c'est seulement une fois que ceux-ci sont comblés que nous commençons à ressentir des besoins d'un niveau supérieur. Le publicitaire comprend que le citoyen ne songe pas à acquérir une Mercedes s'il a peine et misère à payer son épicerie.

Les publicitaires expliquent [...] que l'esprit du marketing lui-même est basé sur la satisfaction des besoins du consommateur.

Toutefois, le publicitaire comprend aussi que cette échelle n'est pas absolue car il sait que, grâce au crédit à la consommation, il peut éveiller chez les consommateurs des rêves inatteignables autrement ; par ailleurs, dans les sociétés riches, les gens moins fortunés aspirent eux aussi aux loisirs, à la valorisation personnelle, aux plaisirs des relations interpersonnelles et sociales, etc. Bref, les échelons sont moins pyramidaux dans une société où les modes de vie et les échelles de valeurs des diverses classes sociales sont sans cesse exposées aux modes de vie des autres classes par les médias de masse... et les besoins, titillés par la publicité.

Penchons-nous donc maintenant sur deux questions discutées depuis toujours dans le monde de la publicité : la première, une question de morale : le mensonge en publicité ; la deuxième, une question, sociale, celle des différences culturelles ; puis, dans une troisième section, nous tenterons une nouvelle fois de détruire un mythe urbain durable, celui de la publicité subliminale.

Mentir par efficacité ?

Howard Morgens, président de Procter & Gamble, portait le jugement suivant sur la publicité : « Nous pensons que la publicité est le système le plus efficace et le plus rentable pour vendre aux consommateurs. Si nous découvrions un jour de meilleures méthodes pour vendre nos produits, nous abandonnerions la publicité pour nous tourner vers ces autres méthodes » (cité dans *La publicité selon Ogilvy*, 1983). Or P & G dépense au Québec 16 millions de dollars chaque année. C'est dire que cette entreprise détient la preuve que la publicité est efficace.

Mais une question demeure : la publicité est efficace à quel prix ? Certains affirment que la publicité est efficace parce qu'elle est mensongère. Cette question revient continuellement dans l'actualité si bien que, au cours des années, cela a suscité trois actions marquées : des lois ont été votées par les gouvernements québécois et fédéral, un code de normes a été adopté par les publicitaires et une enquête a été menée par des théologiens.

La Loi sur la concurrence C-34 est promulguée par le Canada en 1985. L'article 70 précise : « (2) [...] est susceptible d'examen le comportement de quiconque donne [...] des indications au public relativement au prix auquel un ou des produits similaires ont été, sont ou seront habituellement fournis [...]. [On déduit habituellement que le prix normal est celui auquel on a, dans un marché donné] vendu une quantité importante du produit à ce prix [...]. » C'est en vertu de cet article que des entreprises sont condamnées chaque année pour avoir tenté d'induire en erreur les consommateurs quant au prix auquel elles offraient des marchandises. Légalement, un publicitaire ne peut donc pas conter de mensonge sur les prix.

La Loi sur la protection du consommateur P-40 est promulguée par le Québec en 1978. L'article 231 précise : « Aucun commerçant, manufacturier ou publicitaire ne peut, par quelque moyen que ce soit, faire de la publicité concernant un bien ou un service qu'il possède en quantité insuffisante pour répondre à la demande du public [...] ». L'article 248 précise : « Sous réserve de ce qui est prévu par règlement, nul ne peut faire de la publicité à but commercial destinée à des personnes de moins de treize ans. » Voilà donc deux autres points réglés : un, un annonceur ne peut pas faire de la publicité pour un produit s'il ne peut pas le fournir aux conditions annoncées ; deux, il ne peut diffuser aucune publicité vers les enfants. La portée de ces mesures législatives est cependant limitée car il n'existe pas de barrage pour bloquer la publicité étrangère captée par les satellites.

Les publicitaires eux-mêmes rougissent parfois de ressentir qu'ils sont peut-être « allés trop loin ».

Par ailleurs, sentant la soupe chaude et avant que l'État ne les contraigne par une loi, les publicitaires se sont donné un code de normes (déontologiques). Le premier article du Code canadien des normes de publicité traite du mensonge ou, plus positivement !, de la véracité. Ce premier article se lit ainsi : « 1. *Véracité, clarté, exactitude.* (a) Les publicités ne doivent pas comporter d'allégations ou de déclaration inexactes ou mensongères énoncées directement ou implicitement quant au prix, à la disponibilité ou à l'efficacité d'un produit ou service. [Un vœu pieux ?] Lorsque le Conseil doit attester de la véracité d'un message, il ne s'intéressera pas à la légalité de sa formulation ou à l'intention de l'annonceur. Il considérera plutôt le message tel que reçu ou perçu, c'est-à-dire l'impression générale qui s'en dégage. [Ici, c'est bien, on insiste sur l'esprit de la loi] (b) Une publicité ne doit pas omettre une information pertinente de façon à être mensongère. [Il faut donc dire *toute* la vérité ?] (c) Tous les détails pertinents se rapportant à une offre annoncée doivent être clairement énoncés. (d) Toute exclusion de responsabilité ou toute information accompagnée d'un astérisque ne doit pas contredire les aspects importants du message, et doit être présentée et située dans le message de manière à être très visible [Autrement dit : il ne faut pas contredire en petits caractères l'offre alléchante que l'on fait en gros caractères] ».

Mais il ne faut pas oublier que ce code n'est pas contraignant comme une loi, ni comme un règlement en découlant. Iain Ramsay (1996), professeur à la Osgoode Hall Law School de l'Université York, jugeait justement dans *Advertising Self-Regulation* qu'« il ne semble pas y avoir de tentative systématique pour s'assurer que les publicitaires se conforment au Code, et on ne sait pas si la Fondation de la publicité [qui en est responsable] a réussi à communiquer ses normes au monde de la publicité ». Il ajoute que « la Direction des pratiques commerciales d'Industrie Canada laisse entendre qu'on devrait faire des efforts supplémentaires pour transformer cette autoréglementation en réglementation ».

Les publicitaires eux-mêmes rougissent parfois de ressentir qu'ils sont peut-être « allés trop loin ». Aussi, poussés par les groupes de pression, ils se penchent de loin en loin sur la question de la « publicité mensongère ». Il existe peu d'ouvrages sur le sujet ; mais on trouve des articles de questionnement éthique dans des revues spécialisées comme le *Journal of Business Ethics* ou le *Journal of Advertising Research*, plus précisément sur des sujets à la mode comme la persuasion subliminale, les rôles sexuels, l'autoréglementation ou le quasi-mensonge. À ma connaissance, le dernier livre publié sur les aspects éthiques de la publicité date de 1931 (réédité en 1978 par Ayer). Il s'agit de *The Ethical Problems of Modern Advertising* qui rassemble les communications d'un symposium d'universitaires et de professionnels tenu à Chicago à l'époque. Néanmoins, les publicitaires canadiens ont, sous l'égide de l'École de théologie de l'Université de Toronto, patronné en 1972 un comité d'experts dans le but de faire la lumière sur la question du mensonge ; il en est résulté un maigre rapport intitulé *Truth in Advertising* (1972) qui expose une position très générale : la publicité s'adresse à des « personnes raisonnables » plutôt qu'à des « personnes crédules »... laissant conclure au lecteur que les citoyens sont capables de distinguer le vrai du faux des messages persuasifs.

Comme le chante Michel Rivard, les publicitaires sont « juste un peu menteurs ». Ogilvy (1983) se défend dans un chapitre entier de son livre *La Publicité selon Ogilvy* : « Personne n'affirme que la rotative est diabolique parce qu'on l'utilise pour imprimer de la pornographie ; on l'utilise aussi pour imprimer la Bible. La publicité n'est diabolique que lorsqu'elle vend des objets diaboliques » écrit-il. « Les professeurs d'université puritains, ajoute-t-il, ne paraissent pas savoir qu'acheter des objets est un des plus innocents plaisirs de la vie, que vous ayiez besoin ou pas de ces objets. » Et, tac !

Bref, la publicité ne ment jamais. Mais elle ruse. Voici par exemple le texte d'une annonce journal parue dans *La Presse* du 29 juin 1999. Une pleine page blanche (avec une demi-page rabattue sur elle-même qui cache la suite du message) étale ce seul gros titre aguichant : « Il n'y a pas de frais ». Rien d'autre. En dépliant le rabat, on se trouve devant un espace d'une page et demie avec le titre : « Il n'y a pas de frais/cachés. » Et le texte explique : « Contrairement à certaines compagnies de téléphone mobile... etc. » Puis le texte énumère « Les nouveaux forfaits Mobilité : [par exemple] 150 minutes/29 $ mois [...] Facturation à la seconde[†††] » Or, qui ira lire les petits caractères de ce renvoi qui dit : « Avec les forfaits numériques [seulement]. Téléphone non compris. Taxes, services optionnels et autres frais (activation, accès mensuel au réseau, interurbain et frais d'antenne) en sus » ? Quel consommateur peut savoir par cette annonce combien lui coûtera son « forfait sans frais cachés » ?

Daniel Pinard, animateur-vedette de la gastronomie à Télé-Québec, commente le thème-accroche suivant : « Dans un verre de lait, il y a autant de calcium que dans 2 1/2 tasses de brocoli ». Il écrit : « Malgré ses prétentions scientifiques, le message de la Fédération des producteurs de lait du Québec n'a rien d'un message santé. Avec tout son savoir-faire, le publicitaire le confirme, ajoutant à sa phrase d'envoi, en contrepoint, une deuxième phrase tout aussi vraie qui vient éclairer la première. Mais cette fois, la « vérité scientifique » fait place à la « vérité affective ». Voici le message complet : Dans un verre de lait, il y a autant de calcium que dans 2 1/2 tasses de brocoli. Mais le brocoli, c'est pas tellement bon avec des biscuits triple chocolat. Consentante, la victime [nous-mêmes !] sourit. Le chat enfariné bondit. Ne reste plus qu'à applaudir le rédacteur publicitaire » (*Le Devoir*, 9 juillet 1999).

La publicité ne ment peut-être pas ; elle séduit par ses entourloupettes. Les jeunes aiment tous ces publicités qui sont tellement humoristiques. « La séduction, forme mondaine du mensonge, est à l'œuvre dans l'ensemble des rouages de la société, là où le pouvoir trouve un terrain propice à son exercice » explique le logicien Marcel Boisot (1999) dans *La Morale, cette imposture*. Or la publicité, c'est la parole du pouvoir marchand ; elle va donc aussi loin qu'elle peut aller dans la séduction. La publicité n'est pas trompeuse en ce qu'elle ne ment pas directement. Le professeur Benjamin Singer (1986) de l'Université de Western Ontario conclut son livre *Advertising & Society* comme suit : « Bien que la publicité soit [de nos jours] peut-être plus subtile et moins trompeuse, elle est plus envahissante au point de faire partie de notre environnement de manière plus inextricable que jamais. »

Donc, les publicitaires ne mentent pas ; ils ne disent tout simplement pas « toute la vérité ». Mais ces roués publicitaires sont payés de retour par les citoyens. Tous les trois ans, Léger Marketing publie un sondage sur les professions. Dans le dernier de ceux-ci, on constate que les pompiers sont en première place dans la considération des citoyens (comme dans les sondages précédents avec la cote 98 %) ; viennent, tout de suite après, les infirmières suivies des fermiers, puis des pharmaciens, des médecins, des scientifiques et des enseignants. Bref, les plus admirés sont ceux qui sont sur le front des services essentiels ; le citoyen moyen n'est pas stupide et sait reconnaître ceux dont il a réellement besoin. En milieu de liste, on trouve les policiers, les juges, les banquiers et les gens d'affaires de même que les environnementalistes, les entrepreneurs et les propriétaires d'immeubles ; on y retrouve aussi les gens des communications : marketers (57 %), relationnistes (56 %) et journalistes (54 %)... avec les maires et les échevins (51 %).

Dans un dernier groupe, on rencontre les professionnels qui vivent de belles promesses : fonctionnaires, avocats, courtiers en valeurs, agents d'immeubles (48 %). Et, en queue de liste, se ramassent les administrateurs publics, les syndicalistes et... les publicitaires en 47e place sur la liste de 50 métiers — seuls les devancent en enfer les hauts fonctionnaires, les vendeurs d'automobiles et... les politiciens (Léger & Léger, *Tendances Marketing 2000*).

S'enraciner dans le terroir

Une publicité n'est efficace que si elle s'enracine profondément dans le terreau régional. Les tenants du *global marketing* doivent en tenir compte. S'ils prétendent toucher les cibles en faisant de la *global communication*, ils se mettent le doigt dans l'œil : aucune publicité conçue à New York ne peut, au Québec, atteindre la même force de frappe que Monsieur B pour Bell ou Claude Meunier pour Pepsi. Au printemps 2001, Benoît Brière a déjà tourné 100 messages publicitaires pour Bell et, en 20 ans, Claude Meunier en a tourné 75 pour Pepsi. Mois après mois dans les sondages, la publicité Bell se maintient comme la plus remarquée, étant mentionnée spontanément par 18 % des gens (alors qu'une bonne publicité ne sera mentionnée que par 2 % des répondants).

Que les anglo-publicitaires le reconnaissent ou pas, Québec est véritablement une « société distincte ». On peut le refuser sur le plan politique, mais un marketer qui n'en tient pas compte risque d'y perdre sa chemise. Une campagne nord-américaine peut envoûter les Ontariens tout en frôlant l'insipidité au goût des Québécois. En 1985, Pepsi mise 10 millions de dollars sur l'hypervedette Michael Jackson qu'elle compte utiliser dans tous ses marchés à travers le monde pour rajeunir son image. L'objectif : essayer de gruger des parts de marché à Coke qui domine sur la plupart des marchés. Or au Québec, les conseillers publicitaires de Pepsi réussissent à convaincre leur client d'investir plutôt dans la vedette québécoise de l'humour, Claude Meunier. Avec le résultat qu'en 1996 Pepsi devance Coke de 20 points. C'est probablement le seul marché au monde où Pepsi domine Coke. Coke s'en mord encore les doigts en l'an 2001. Mais, en 2001, est-ce que c'est la chanteuse pop Britney Spears qui deviendra la porte-parole de Pepsi pour le Québec ? Pepsi offre 50 millions de dollars à la chanteuse de 19 ans pour qu'elle joue ce rôle à travers le monde...

Québec est véritablement une « société distincte ». On peut le refuser sur le plan politique, mais un marketer qui n'en tient pas compte risque d'y perdre sa chemise.

Sur le plan de la communication persuasive, le Québécois n'est pas un Nord-Américain comme les autres. « Vous prenez un francophone québécois au hasard, vous lui posez une question sur les adolescents, sur l'Église, sur toutes sortes de choses dont les gens ordinaires discutent, sur les attitudes qu'il adopte pour organiser sa vie et pour comprendre le monde qui l'entoure, et vous trouvez une opinion différente de celle d'un Canadien anglais typique » résume Michael Adams, président de la firme de sondage Environics de Toronto (*L'Actualité*, janvier 1992). Adams croit même que le Québec est, plus que les autres parties du Canada, une société postmoderne, « à un degré atteint par peu d'autres sociétés au monde » ajoute-t-il. C'est-à-dire que les Québécois ont coupé avec la société traditionnelle, avec ses valeurs ; le Québécois prend ses décisions d'après une morale personnelle.

Les rôles sexuels

Dans les années 2000, les rôles confiés aux hommes et aux femmes dans la publicité tendent à s'inverser, clin d'œil des publicitaires à l'évolution sociale. La tendance est évidemment plus marquée dans les médias qui visent les jeunes publics comme les bandeaux Internet ou les affichettes de toilettes publiques. Ici, il s'agit de cartes postales gratuites offertes en présentoirs dans des bars achalandés. Le thème-accroche dit : « Un amateur de Pineau, ça ressemble à ça. »

Pour les marketers, les Québécois sont des gens de plaisir plutôt que des gens de devoir comme les autres Canadiens. Cela est révélé manifestement par un immense sondage que la revue *L'Actualité* a commandé à la maison CROP (janvier 1992). Une des questions est libellée ainsi : « Est-ce que vous préférez les gens qui font leur devoir ou qui recherchent leur bonheur ? » Quarante-neuf pour cent des Québécois préfèrent les gens de devoir alors que 75 % des autres Canadiens préfèrent les gens de devoir.

Cette différence entre anglo-canadiens et Québécois se retrouve dans toutes sortes de domaines. Les Québécois font moins confiance que les Canadiens aux élites traditionnelles (policiers, juges, gens d'affaires, religieux, journalistes). Ils prennent *plus* plaisir que les Canadiens à consommer (20 % de plus), dépensent davantage dans les restaurants, sont plus tolérants envers les aventures extraconjugales, trouvent plus acceptable qu'un jeune de 15 ans ait des relations sexuelles (16 % de plus) et pensent davantage à la retraite avant 55 ans.

Mais les Québécois sont *moins* intéressés par le mariage (22 % moins), se consacrent moins au bénévolat, sont moins respectueux de leur drapeau (77 % des canadiens sont d'accord pour qu'une loi interdise de le brûler alors que seulement 55 % sont d'accord pour protéger ainsi leur propre fleurdelisé) ; les Québécois lisent moins de livres (un sur trois n'en lit pratiquement jamais alors que c'est un Canadien sur sept), voyagent beaucoup moins (moins 33 %) et — comme ils l'ont prouvé lors des lois de conscription précédentes — se porteraient beaucoup moins comme volontaires en cas de guerre.

Généralement, les Québécois sont de plus féroces défenseurs des droits individuels alors que les Canadiens sont plus portés à respecter les droits collectifs. Contrairement à ce que les Québécois pensent souvent d'eux-mêmes, ce sont les Canadiens qui sont plus « moutons » qu'eux : « J'ai toujours cru qu'il n'y avait pas réellement de tradition de défense des droits individuels dans le reste du Canada. En effet, la mesure gouvernementale la plus populaire des temps modernes fut l'imposition de la Loi des mesures de guerre par Pierre Trudeau en 1970 » déclare Allan Gregg de Decima Research. Alain Giguère de CROP renchérit : « Les Canadiens mettent l'accent sur la moralité, une espèce de recherche de pureté qui s'exprime par un contrôle direct sur le corps et le plaisir [...]. Ils se donnent un rôle beaucoup plus directif auprès de leurs enfants, [...] ils sont garants de la moralité des enfants. » De tous les marchés d'Amérique du Nord, le Québec est le seul marché où, dans les années quatre-vingt-dix, Benetton peut publier un double-page entier qui montre des condoms de couleur.

Les Québécois sont donc plus libres face aux valeurs dominantes, ils sont plus individualistes ; pourtant, ils sont davantage que les Canadiens fascinés par le paraître et par l'opinion des autres : 68 % considèrent important « de sentir de l'estime et de la considération autour de soi » (contre 51 % des Canadiens).

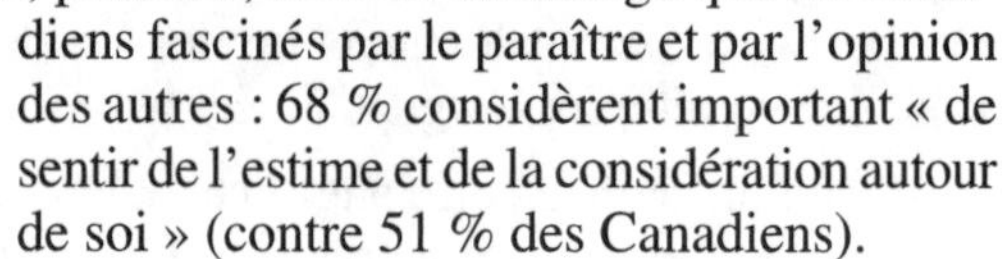

Aucun publicitaire consciencieux n'osera présenter son produit aux Canadiens et aux Québécois d'une manière identique.

Cette différence est marquée sur le plan de la consommation — ce qui se reflète à l'évidence dans la publicité. Ainsi, les Québécois consomment 20 % plus de légumes que les Ontariens, achètent 35 % plus de billets de loterie et fument 20 % plus de cigarettes. Or les Ontariens achètent 23 % plus de meubles que les Québécois, font 68 % plus d'appels téléphoniques interurbains et entretiennent 52 % plus d'animaux de compagnie. Les Ontariens consomment deux fois plus de lait entier que les Québécois qui, eux, consomment davantage du lait à faible teneur en gras. Les Québécois consomment presque deux fois plus de bœuf haché que les Ontariens. Les Ontariens ne consomment que du cheddar comme fromage ; les Québécois dépensent deux fois plus que les Ontariens pour des fromages autres que le cheddar. Ainsi de suite.

Faisons encore quelques comparaisons de consommation :

Ce que les Québécois font plus que les autres Canadiens

- Boire du vin de France : 91 % de plus que les autres Canadiens
- Acheter au moins un chandail par an (pour les femmes) : 70 % de plus
- Souscrire à une assurance-vie personnelle : 43 % de plus
- Faire son lavage à l'eau froide : 42 % de plus
- Consommer du jus de tomates : 39 % de plus
- Fréquenter un magasin de vêtements au moins une fois par an : 27 % de plus

Ce que les Québécois font moins que les autres Canadiens

- Acheter du whisky canadien : 81 % de moins
- Boire du jus de canneberge : 60 % de moins
- Avoir un bureau à la maison : 53 % de moins
- Acheter du mélange à crêpes : 42 % de moins
- Voyager aux États-Unis pour le plaisir (36 derniers mois) : 30 % de moins
- Acheter parfois ou souvent des produits sans nom : 36 % de moins
- Fréquenter un magasin-entrepôt d'alimentation : 26 % de moins
- Posséder une automobile fabriquée en Amérique du Nord : 16 % de moins

(Source : Print Measurement Bureau, 1995)

Est-ce qu'il existe de grandes différences entre anglo-canadiens et Québécois sous l'aspect de la culture populaire ? Au dire des pontes, la culture populaire est, de nos jours, universelle. Or des 20 émissions les plus regardées au Québec en 1995, une seule (*Beverly Hills*) n'a pas été produite au Québec. Au contraire, à l'exception du hockey, la totalité des 20 émissions les plus regardées à Toronto ont été produites aux États-Unis (Sondages BBM, printemps 1995). Afin de protéger la culture anglo-canadienne, le Canada a voté des lois pour imposer un contenu « canadien » aux diffuseurs, mais les *Canadian* continuent de choisir les émissions américaines plutôt que leurs propres productions.

Au Canada, les différences culturelles sont fortement marquées par la langue d'usage. Ainsi, quand on demande d'évaluer si « consommer est un des grands plaisirs de la vie », 71 % des Québécois le pensent... mais seulement 29 % des autres Canadiens sont d'accord avec cet énoncé. On aura compris, à constater ces différences, qu'aucun publicitaire consciencieux n'osera présenter son produit aux Canadiens et aux Québécois d'une manière identique et avec des arguments similaires.

Les marketers parlent de plus en plus souvent de marketing global ; ils voudraient bien pouvoir parler à n'importe quel public avec une seule approche conçue au siège social à New York... et ne payer que pour une seule et même campagne. Mais, en dépit de ce que souhaitent les grands marketers, sur le plan culturel, tout n'est pas encore platement uniforme.

Bien sûr, la conviction d'être culturellement différent n'est pas aussi forte dans tous les pays. Par exemple, pour un pays à frontières ouvertes comme la Hollande, le nationalisme n'a pas d'importance, n'a pas de sens ; il est risible aux yeux d'un habitant des Pays-Bas (qui n'est pas totalement Hollandais et qui ne peut se dire Néerlandais) de vouloir sacrifier sa vie pour sa patrie comme l'ont fait tant de Français. Autre exemple : le bonheur si souvent prisé dans la publicité de nos pays n'est pas une valeur recherchée au Japon ; dans ce pays, le but de la vie est de remplir ses obligations ; par contre, pour eux, les joies du sexe n'ont pas de connotation morale alors que c'est le cas pour tout Américain moyen.

De même, la réussite n'est pas une valeur perçue de la même manière par un jeune Québécois que par un Américain moyen. Le concept *achievement* est une des valeurs qui motivent les travailleurs américains (avec *power* et *affiliation*). L'*achievement* est une valeur importante dans les cultures où l'on privilégie le risque ; c'est sans doute ce qui rend les Américains entrepreneurs et les pousse vers le succès économique. Les Américains croient en effet que le succès est une valeur universelle. Or ce n'est pas le cas ; pour un Japonais, le succès s'évalue en « harmonie intérieure ».

Pour un Américain, une « vie confortable » s'estime en termes de prospérité matérielle. Dans une autre culture, une vie confortable s'estimera peut-être davantage en termes de sécurité psychologique, de stabilité, de bonnes relations avec son entourage immédiat. Les Nord-Américains sont égo-centrés, ce qui n'est pas le cas des personnes issues des cultures traditionnelles. Dans ces cultures-ci, la solidarité est une valeur prédominante ; un mot comme *self-esteem* — qui connote avoir du caractère, détenir du prestige — n'existe donc pas dans leurs langues : qui peut donner crédibilité à un jugement posé par soi-même sur soi-même ? Même en français, l'expression « amour propre » n'a pas la même signification.

Marieke DeMooij (1997) résume dans *Global Marketing and Advertising* comment les valeurs mises de l'avant dans une campagne de publicité sont difficilement transférables à une autre culture :

« Les valeurs constituent le cœur d'une culture. [...] Parce que les systèmes de valeurs sont différents, un mot traduit peut même référer à une valeur différente. » Si les produits peuvent répondre à des besoins de multiples marchés, la publicité pour les présenter ne peut être conçue que localement.

La maison de recherche Impact Recherche réalise en continu ce qu'elle nomme des tests d'efficacité séquentiels (TES). Dans une compilation de sa banque de données, cette maison a trouvé que les publicités de télévision créées au Québec sont « 41 % plus performantes globalement que celles traduites ou adaptées ». Elle conclut même qu'il y a deux fois plus de consommateurs qui associent correctement un annonceur avec un message (*Concepts québécois vs adaptations-traductions*, Cossette Médias, 1998).

« Pour séduire et convaincre les consommateurs québécois, il faut produire sa publicité au Québec » affirme l'Association des agences de publicité du Québec. Selon un sondage Léger & Léger publié en mai 1994, les 10 campagnes publicitaires de 1993 mentionnées comme les meilleures par les Québécois ont toutes été créées au Québec. D'après une étude d'Impact Recherche/*InfoPresse*, les 20 campagnes publicitaires les plus remarquées par les Québécois entre septembre 1994 et août 1995 étaient toutes créées au Québec par des agences québécoises. Selon l'étude *Pub de la Pub* du Publicité-Club de Montréal, « les créations publicitaires originales ont 37 % plus d'impact que les adaptations et les traductions » (septembre 1997). Cette étude montre que les campagnes de publicité conçues au Québec se démarquent des adaptations pour leur originalité, leur capacité à susciter l'attention, leur crédibilité et leur pouvoir persuasif. Pour chacune des variables analysées, l'écart entre les créations et les adaptations varie entre 33 % et 41 %. Cette réalité est confirmée par les faits année après année : la communication persuasive fonctionne mieux quand elle se déroule « entre Québécois ».

Chaque marché est donc teinté d'une culture propre. Telle publicité de Loto-Québec mettant en scène une personne âgée, hilarante pour un Québécois, sera peut-être perçue comme vulgaire par un Vietnamien ; le rôle aguichant tenu par le top-modèle dans cette publicité française pour la Renault sera éventuellement perçu comme sexiste par les Québécoises ; la comparaison établie entre Coke et Pepsi de cette publicité américaine sera sans doute jugée comme manquant de *fair-play* par le Britannique David Paulson. Le publicitaire efficace ne peut originer que du milieu culturel qu'il désire influencer.

La Néerlandaise Marieke DeMooij (1997), une consultante de 30 ans d'expérience en marketing international, porte, dans *Global Marketing and Advertising*, le jugement suivant sur la publicité française : « La publicité française est marquée par un penchant vers le théâtral et le bizarre. Les messages sont plus souvent structurés comme une petite histoire plutôt que comme un "pitch de vente" destiné au consommateur. La "joie de vivre" française transparaît dans l'image, dans le concept et dans la mise en scène. » Selon les circonstances et la stratégie, la publicité québécoise s'abreuve à deux sources : elle puise sans doute dans le fond culturel francophone (la chanson, l'imagination), mais, au besoin, elle mime les techniques *hard sell* de la persuasion publicitaire à l'américaine (montrer le produit, encourager à l'acquérir *subito presto*).

En tout cas, les publicitaires clairvoyants prennent au sérieux les différences culturelles : ils s'enracinent dans le terroir.

La publicité subliminale

Depuis cinquante ans, la croyance populaire a élevé ce qu'on a appelé « la publicité subliminale » au rang de mythe urbain. Essayons de voir clair là-dedans.

Pour pouvoir être vu, un stimulus visuel — disons, une image ! — doit posséder certaines caractéristiques minimales ; sinon, un sujet ne voit rien, même s'il y a effectivement image. On dit dans ce dernier cas que le stimulus est subliminal, c'est-à-dire en deçà du seuil de la sensation. Mais qu'est-ce donc que le seuil ? Le seuil est le point en deçà duquel une image sera *perçue* dans moins de 50 % des cas.

Il existe des stimuli subliminaux mais ceux-ci ne peuvent modifier ni les attitudes ni les comportements.

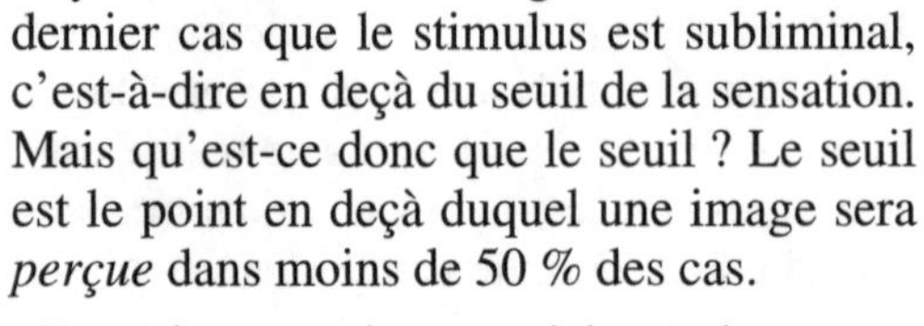

Toute image qui ne possède pas les caractères minimaux qui lui permettent de franchir le seuil de la perception consciente est donc subliminale. Il y a en effet des stimuli visuels (des images peut-être ?) qui peuvent provoquer des sensations sans atteindre le niveau de la conscience. C'est cette hypothèse qui a suscité tout un mythe sur la possibilité de persuader les gens à leur insu en les soumettant à de la publicité subliminale.

Les recherches de laboratoire sérieuses sur le subliminal sont nombreuses autour des années 1950. Par la suite, elles sont abandonnées parce qu'on ne réussit pas à contrôler clairement les variables de ce processus de communication. Déjà, en 1898, le psychologue russo-américain Boris Sidis (1898) rapporte, dans *The Psychology of Suggestion*, que certains stimuli subliminaux permettent aux sujets de deviner à quels chiffres ou lettres ils ont été soumis ; cela, dans une proportion qui dépasse indéniablement ce que le simple hasard aurait permis. Malgré cela, aucune recherche ne réussit à démontrer que l'on peut utiliser subliminalement des images plus complexes, encore moins que l'on peut *persuader* par ce moyen.

Néanmoins, la publicité suscitant un large intérêt populaire à la mi-siècle, le livre *La Persuasion clandestine* de l'avocat-journaliste Vance Packard (1958) devient un best-seller ; l'auteur y parle de la possibilité d'influencer les consommateurs subliminalement. Cela met le feu aux poudres et le mythe est ainsi lancé. Son texte s'appuie sur une (pseudo) expérience montée par le publicitaire James Vicary rapportée dans un numéro de *Life* de mars 1958, qui se penche sur le phénomène avec un grain de sel. Vicary affirme avoir projeté des messages subliminaux pendant une séance de cinéma à Fort Lee en banlieue de New York ; il aurait, toutes les cinq secondes, projeté à la vitesse de 1/3000e de seconde les messages : « Drink Coca-Cola » et « Hungry ? Eat popcorn ». Cela aurait, prétend-il, fait augmenter les ventes de Coke de 57,7 % et celles de popcorn de 18,1 %.

Remarquons un fait important : Vicary a mis sur pied une compagnie (Subliminal Projection Co.) pour conseiller les annonceurs sur ce moyen de persuasion magique. Devant la panique publique face à ces éventuelles manipulations occultes, la National Association of Broadcasters aux États-Unis (les médias) et l'Institute of Practitioners in Advertising en Grande-Bretagne (les publicitaires) interdisent alors l'utilisation de ce moyen parce qu'ils le jugent non conforme à leur éthique — et non parce qu'ils reconnaissent que le subliminal fonctionne !

D'ailleurs, on le sait maintenant, à 1/3000e de seconde, il ne peut y avoir ni perception psychologique ni sensation physiologique. L'éminent spécialiste britannique de la question, le professeur Norman F.

Dixon de l'University College de Londres, a fait son doctorat sur le sujet et a poursuivi ses recherches pendant vingt ans sur la question. Il a consulté à peu près tous les rapports de recherches sérieux ; il cite en bibliographie de *Subliminal Perception* (1971) près de 500 titres. Sa conclusion est claire : il existe des stimuli subliminaux mais ceux-ci ne peuvent modifier ni les attitudes ni les comportements — *a fortiori*, à long terme.

Pourquoi ? Pour plusieurs raisons dont celles-ci :

- il est difficile de déterminer le seuil, même toutes choses étant égales par ailleurs, chez un individu donné ;
- le seuil varie d'un individu à l'autre : selon l'âge, l'intelligence, les défenses affectives, selon que l'on en est avisé d'avance, etc.

On ne connaît au Canada qu'une ou deux tentatives pour diffuser des messages subliminaux à des fins persuasives. En novembre 1973, CFCF-TV (Montréal) diffuse un message présentant un jeu pour enfants, nommé Husker-Do. Le Conseil des agences de publicité du Canada découvre, après enquête avec du matériel de projection au ralenti, que le message « Get it ! » apparaît quatre fois à la vitesse de 1/4 de seconde au cours du message de 30 secondes. La plainte vient des États-Unis et le fabricant de Minneapolis prétend que cette insertion a été faite à son insu. Pendant six mois par la suite, le Conseil scrute tous les messages de télévision et ne peut trouver *aucune* autre insertion subliminale. Les agences sérieuses ne s'amusent pas à faire des message subliminaux qu'ils savent inefficaces quand ils trouvent déjà si difficile de réaliser de bons messages supraliminaires. Néanmoins, le Conseil de la radiotélédiffusion canadienne édicte en 1975 un règlement interdisant la diffusion de tels messages.

Et malgré tout, un Ph D, Bryan Key, un moment professeur à l'Université de Western Ontario, continue d'affirmer que les agences pratiquent couramment ce qu'il appelle « l'enchâssement » (*embedding*) de messages subliminaux dans leurs annonces. Tous ces enchâssements utilisent, selon lui, les allusions sexuelles. Dans son livre *Subliminal Seduction*, Key (1973) prouve (!) le fait par de nombreux exemples, comme cette annonce pour le whisky Black Velvet de Gilbey's. Cette annonce, prétend-il, représente subliminalement un couple d'amants sur une plage du Sud... Le Conseil examine cette annonce et produit des affidavits témoignant que rien ne s'apparentant à des enchâssements n'a pu y être décelé. En décembre 1973, le *Toronto Star* publie même un article-enquête dans lequel des experts — indépendamment les uns des autres — affirment avoir examiné les négatifs originaux sans pouvoir y déceler aucune trace de retouche. Et pourtant, Key continue d'affirmer que l'enchâssement est enseigné dans « la plupart des écoles d'art » et pratiqué dans « toutes » les grandes agences. Il admet tout de même n'avoir jamais vu réaliser sous ses yeux l'enchâssement alors qu'il dit avoir travaillé dix ans en recherche publicitaire... Or écrit Stephen Fox (1984) dans *Mirror Makers* : « Aucun graphiste publicitaire repentant ne s'est jamais présenté pour avouer qu'il avait inscrit "ces mots de cinq lettres" — parce que ça ne s'est jamais fait, sauf dans l'esprit de Bryan Key et de ses admirateurs. »

La publicité subliminale n'est pas une forme de communication persuasive utilisée dans les agences ; la persuasion subliminale ne fonctionne pas. Pourtant, il existe encore des gens qui croient à cette forme de publicité qui serait plus efficace parce qu'elle est occulte. C'est le cas d'Eldon Taylor (1986) qui écrit dans *Subliminal Communication* : « Il est démontré à l'évidence que la communication subliminale fonctionne. [...] Dans notre société, nous sommes exposés quotidiennement à une forme ou l'autre de communication subliminale. » Il faut dire que Taylor, un Ph D, s'affiche comme « autorité internationalement reconnue en *subliminal information processing* ». Comme Bryan Key !

Dans un sondage auprès des grandes agences américaines, le Dr Jack Haberstroh demandait : « Avez-vous, vous-même, déjà enchâssé un message subliminal (c'est-à-dire un mot, un symbole, ou les organes sexuels de manière à ce qu'ils ne puissent être perçus inconsciemment) dans les images publicitaires faites pour vos clients ? » Quarante-sept agences ont répondu. De celles-ci, 96 % ont répondu non, 4 % ont répondu oui. Les deux personnes qui ont répondu oui avaient ajouté un commentaire. La première a écrit : « Toute publicité est un mélange de produit et de messages subliminaux ; un produit accolé à une personne séduisante [...] ». La deuxième a ajouté : « Le sexe vend, consciemment ou inconsciemment [...] » (*Ice Cube Sex*, 1994). Il ne s'agit pas ici de messages subliminaux au sens technique du terme.

Moi-même, je travaille en publicité depuis 45 ans. J'ai présidé ce qui était alors la plus grande agence de publicité du Québec. Et je n'ai jamais entendu parler qu'un collègue ait réalisé de la publicité subliminale. Des milliers de créateurs travaillent pour la publicité ; le cas échéant, des centaines d'entre eux quittent la carrière par désabusement. Je suis sûr que, si la technique subliminale était utilisée en publicité, plusieurs d'entre eux seraient heureux d'en témoigner pour dénoncer un domaine qu'ils exècrent désormais.

Pratkanis et Aronso (1991) ont refait récemment le tour de la question. Ils concluent dans *Age of Propaganda* : « Nous avons passé en revue plus de 150 articles diffusés dans les médias et plus de 200 articles scientifiques sur le sujet (une pile de deux pieds de haut). Dans aucun de ces articles peut-on trouver une preuve claire que les messages subliminaux influencent les comportements. »

Mais, comme tous les mythes urbains, la publicité subliminale continue d'être admise par monsieur et madame Tout-le-monde comme une technique persuasive. Theodore Schultze, professeur de journalisme à l'Université du Kentuckey, raconte : « Chaque année, je fais un sondage parmi mes étudiants de première année pour vérifier s'ils ont eu des cours sur la publicité au collège. Habituellement, 10 % répondent oui. Leurs livres ? Leur introduction à la publicité ? La réponse habituelle est *Subliminal Seduction* [de Bryan Key], *Media Sexploitation* [de Bryan Key], *La Persuasion clandestine* [de Vance Packard]. C'est à l'école que cette idée populaire [de la publicité subliminale] est perpétuée » (*Advertising Age*, 1er avril 1984).

[Selon] le professeur Horst Brand [...] la persuasion clandestine est une légende.

Aux États-Unis, 56 % des gens croient que la publicité subliminale réussit à nous faire acheter, rappelle Leslie Savan dans *Village Voice* (13 août 1991). Mais c'est 64 % des jeunes Québécois de 18 à 30 ans qui croient à la publicité subliminale, d'après un sondage de Descarie & Complices (*La Presse*, 22 juillet 1998). Est-ce là, comme aux États-Unis, le résultat de la formation donnée en cette matière par nos enseignants ?

Aujourd'hui, l'idée de persuasion subliminale est reprise par les charlatans de tous ordres. La publicité subliminale est aussi ancrée dans les esprits que toutes les autres légendes urbaines : comme les alligators dans les égouts de New York, les gardiennes disparues en rentrant chez elles, les chatons cuits dans le micro-ondes ou les céréales dans le « 100 % bœuf » de McDonald's.

Le professeur Horst Brand (1978) de l'Institut de psychologie sociale de l'Université de Cologne a écrit un important ouvrage sur le sujet. Le titre dit tout : *Die Legende von den « geheimen Verführern »*, c'est-à-dire : la persuasion clandestine est une légende.

La publicité attaque les terrains vierges

Les profanes accordent à la publicité des pouvoirs qu'elle n'a pas. La publicité peut parler à beaucoup de monde en même temps, elle peut parler haut et fort, elle peut se manifester partout et de manière parfois lancinante, elle peut surgir dans les moments les plus inattendus. Mais elle demeure toujours la plus mauvaise forme de communication persuasive : pour faire valoir son point de vue, pour emporter l'adhésion de l'interlocuteur, il n'y a rien comme la communication de personne à personne.

Quand je sonde des interlocuteurs pour savoir si, selon eux, la publicité les influence, la majorité répondent non. Et avec conviction ! Pourtant, plein de gens vont répètent que les messages publicitaires manipulent le peuple, que les campagnes transnationales uniformisent les goûts, que la publicité fait et défait les vedettes. La publicité n'est pas omnipotente. Laura Bird nous le rappelle : « Parmi les 25 produits de consommation les plus vendus, sept ont diffusé des publicités qui ont compté parmi les plus populaires en 1993 ; pourtant, les ventes de cinq des sept *package goods* étaient stagnantes ou déclinantes. [Le basket-balleur] Shaquille O'Neil ne fait pas abandonner Coke pour Pepsi, pas plus que le lapin Energizer n'est capable de convaincre les consommateurs d'abandonner Duracell » (*Wall Street Journal*, 7 avril 1994).

La publicité est un outil incontournable du marketing ; tous les marketers à succès reconnaissent qu'il faut investir en publicité. Mais la publicité est loin d'être une science exacte ; c'est un art. Si bien que les publicitaires réalisent parfois des coups fumants mais portent à l'occasion des coups d'épée dans l'eau. L'American Association of Advertising Agencies (AAAA — the Four As) estime que les consommateurs nord-américains sont soumis à 3 000 messages par jour... dont ils prennent conscience de moins de 80 d'entre eux... et dont pas plus de 12 suscitent un certain intérêt. Les sondages révèlent que près de 40 % des gens ne peuvent se rappeler *un seul* message publicitaire !

Mais la bataille pour gagner des part de marché est féroce. Aussi les communicateurs tentent-ils par tous les moyens d'envahir les terrains (et les esprits !) vierges. Ainsi, depuis les années quatre-vingt, les publicitaires talonnent les politiques pour les convaincre d'appliquer l'approche publicitaire aux changements de comportements qui sont socialement coûteux, ce qu'on appelle la publicité sociale, « l'autre publicité ».

C'est pourquoi les publicitaires inventent de nouvelles tactiques pour atteindre les enfants (en dépit des lois qui tentent de les protéger !) ; la publicité agit astucieusement puisqu'elle réussit à transformer les jeunes en « enfants-soldats des marchands ». Effectivement, si je demande à de jeunes auditeurs d'examiner les vêtements qu'ils portent, ils découvrent avec surprise que tous autour d'eux portent des chemises Gap ou Hilfiger (dont le nom de marque est affiché en format énorme sur leur poitrine !), des bas L'Egg, des chaussures Reebok, du maquillage Candies. Or, ces marques sont de fait les plus gros annonceurs dans leur secteur d'activité.

Enfin, la publicité s'immisce partout, à tout moment et en tout lieu, de telle sorte que nous la trouvons présentement jusque dans notre soupe... avant de réaliser bientôt qu'elle est aussi rendue dans notre lit.

L'autre publicité

La persuasion s'effectue en un instant ou se déroule sur plusieurs années. Si la décision ne nécessite pas beaucoup d'investissement (affectif ou monétaire), un message publicitaire convainc d'un achat impulsif en quelques secondes. « 5 $ vous fera peut-être gagner ce soir le gros lot de 10 millions » Ainsi, il est démontré que les ventes de billets de loterie sont directement proportionnelles aux sommes engagées en publicité.

D'autres décisions sont beaucoup plus compromettantes ; la publicité doit alors jouer sur les motivations de manière soutenue et en espérant ne persuader qu'à long terme. C'est le cas de la publicité sociale du genre : « Cessez de fumer et vous multipliez vos chances d'éviter le cancer du poumon ! » La publicité sociale pose au professionnel le problème de persuasion le plus difficile à solutionner. La publicité commerciale promet un plaisir immédiat (même s'il est fugace) ; la publicité sociale exige habituellement une privation immédiate pour un plaisir éloigné et incertain : « Cessez de fumer et vous vivrez (peut-être) plus longtemps ». Ou : « Produisez moins de déchets atmosphériques (utilisez les transports publics) et vous laisserez une terre plus saine à vos petits-enfants (si les autres font comme vous !) ».

Malgré cette difficulté, la publicité sociale joue un rôle de plus en plus grand dans nos sociétés. Mais il faut se rendre compte que les montants investis dans cette forme de publicité sont dérisoires en regard de ceux qui sont investis en publicité commerciale : les campagnes anti-tabac sont minimes par rapport à l'argent dépensé par les multinationales du tabac ; les sommes investies pour sensibiliser les citoyens aux dangers de l'effet de serre ne sont rien par rapport aux sommes investies par les fabricants d'automobile. Pour le commun des mortels, la « civilisation du gaspillage » a beaucoup plus d'attrait que la solidarité sociale.

Il existe donc une autre publicité, une publicité qui ne vend pas de produits dans le but de faire des profits ; cette autre publicité, la publicité raciale, vise plutôt à transformer les attitudes et les comportements en vue du bien commun. Le publicitaire Jacques Bouchard (1981) la nomme « sociétale » et son associée, Thérèse Sévigny, la définit ainsi dans *L'Autre publicité, la publicité sociétale* : « La publicité sociétale est une forme de communication qui vise à sensibiliser l'opinion, à informer, à éduquer, à changer des attitudes, à raffermir ou à abolir des habitudes, à convaincre de la légitimité d'une option. » La publicité sociale, habituellement diffusée et payée par l'État ou par les organismes non gouvernementaux, est de plus en plus importante ; les gouvernements du Canada et du Québec sont devenus les plus gros annonceurs ; or, on peut supposer que leurs campagnes de publicité visent le bien commun.

Persuader les citoyens qu'ils doivent se comporter individuellement en vue du bien commun ! Voilà une immense ambition qui nécessite d'énormes efforts, objectifs qu'on ne peut espérer atteindre qu'à long terme. Néanmoins, comme l'a démontré la Société de l'assurance automobile du Québec (SAAQ), il est possible d'influencer les comportements des citoyens. « Sauver le maximum de vies humaines en réduisant le nombre d'accidents de la route est une des raisons d'être de la Société de l'assurance automobile du Québec. En 1995, le gouvernement du Québec a adopté une politique de sécurité dans les transports dont un des objectifs est de réduire de 25 % le bilan routier avant l'an 2000 » écrit-on sur le site de la SAAQ (http://www.saaq.gouv.qc.ca/securite/index.html). Avec d'immenses efforts, on a réduit les décès de 3,9 % entre 1994 et 1999. Pendant la même période, on a pu diminuer les blessures graves de 8,6 %. Mais, ce qui est plus frappant, c'est que le nombre de décès est passé de 2 250 en 1973 à 759 en 1999. Ces résultats ont été atteints grâce à la publicité sans doute, mais aussi par les efforts conjugués de la publicité et « d'une stratégie combinant la recherche, l'éducation, la normalisation et le contrôle ».

Dans la publicité sociale, il faut se résoudre à ne faire appel qu'à des comportements vertueux...

Mais la publicité sociale demeurera toujours un défi pour le publicitaire. Dans la publicité commerciale, il est possible de faire appel aux instincts primaires pour faire miroiter devant les consommateurs des plaisirs immédiats « garantis » ; dans la publicité sociale, il faut se résoudre à ne faire appel qu'à des comportements vertueux... et pour évoquer des résultats plus hypothétiques et à plus long terme. La publicité commerciale dit : « Savourez ces saucisses délicieuses et vous vous en pourlècherez les babines ! » ; la publicité sociale doit dire : « Ne mangez pas trop et vous serez sans doute en meilleure santé à 60 ans ! »

Comparons les principales caractéristiques de ces deux formes de publicité :

Publicité sociale	*Publicité commerciale*
Produit	
• des idées	• des objets
• situation monopolistique	• situation de concurrence
• abstrait	• concret
Communication	
• objective	• subjective
• coûts financés par la collectivité	• coûts inclus dans le prix d'achat
• philanthropique	• mercantile
• vraie	• factice
• le cœur	• le corps
Moyens (motivations)	
• l'être	• l'avoir
• le qualitatif	• le quantitatif
• besoins profonds	• désirs superficiels
• visées altruistes	• visées égocentriques
• honnêteté factuelle	• flatterie
Objectifs	
• valoriser une valeur	• gruger la concurrence
• l'intérêt des cibles	• l'intérêt de l'annonceur
• long terme	• court terme
• le bonheur	• le plaisir
• la qualité de vie	• la quantité de biens
• le collectif	• l'individuel
Effets	
• bonnes résolutions	• achat
• hypothétiques	• mesurables

Il arrive aussi que la frontière entre publicité commerciale et publicité sociale fasse l'objet d'infinis débats. Qu'on pense à une campagne comme celle de l'Italien Luciano Benetton. Avec les photos choc d'Oliviero Toscani et son slogan « United Colors of Benetton », cette entreprise de vêtements réussit à occuper les cerveaux des jeunes de 15 à 30 ans. Au départ, les stratèges Benetton avancent une idée qui paraît généreuse : « Il ne doit pas y avoir de discrimination raciale... c'est ce que nous pensons chez Benetton » semble dire la publicité. Bref, ne s'agit-il pas de publicité sociale... simplement commanditée par un fabricant de vêtements ? Avec des images gentilles qui mettent en scène des jeunes de toutes races, Benetton semble vanter la fraternité universelle. Mais ce que Benetton fait en réalité, c'est ancrer dans les esprits l'idée que les jeunes ouverts au monde portent des vêtements Benetton.

Puis, sans agence de publicité et sous la gouverne du photographe Toscani, Benetton s'amène avec une nouvelle stratégie plus machiavélique encore : on se met à enfoncer des tabous... sachant bien que, ce faisant, on décuple le rendement publicitaire puisqu'on obtient en prime de l'espace éditorial gratuit dans lequel on discute le pour et le contre de ces nouvelles campagnes. Résultat : un mourant sidatique entouré de sa famille, un militaire sauvage tenant le fémur de son ennemi, les *boat-people* risquant leur vie pour survivre, le corps sanglant d'une victime de la guerre civile... servent désormais à augmenter la notoriété de la marque Benetton, à vendre des vêtements portant cette griffe, finalement, à remplir les coffres de Luciano Benetton.

Toscani a connu ses premières frasques importantes au début des années 1970 avec les jeans Jésus (en bon italien catholique, c'est lui qui avait trouvé ce nom de marque) ; la deuxième campagne montrait une photo de fille en short de jeans au ras des fesses avec le slogan « Qui m'aime me suive. » Toscani (1995) raconte le scandale dans *La pub est une charogne qui nous sourit* : « Les affiches sont placardées dans toute l'Italie alors que je retourne à New York. Quelques jours plus tard, mon ami industriel (fabricant des jeans) me téléphone, affolé : "Tu n'imagines pas le scandale que la campagne a soulevé en Italie. Le Vatican et son journal l'*Osservatore Romano* nous attaquent !" En retournant en Italie, j'étais devenu un pestiféré. »

Faut dire qu'il ne l'avait pas raté. Mais il poursuit cette stratégie payante : en rédigeant ce texte un beau lundi matin, j'écoute Radio-Canada qui interview Toscani, suite à son dernier scandale Benetton : il montre dans sa campagne de l'hiver 2000 des condamnés à mort américains qu'il est allé interviewer et photographier dans leur corridor de la mort. Toscani affirme « qu'il est un artiste et que son objectif est de défendre des causes sociales et non pas un produit ; il explique qu'il est simplement appuyé par le président et l'argent de Benetton. Mais il ajoute qu'il n'est pas un artiste en chambre [seul à explorer des voies incomprises par le grand public] ; que les vrais artistes d'aujourd'hui sont sur la place publique à la solde des grands [du business]... sans qu'ils aient besoin de croire dans le produit auquel ils sont associés — comme c'était le cas, lance-t-il humblement, de Michel-Ange qui travaillait à la solde du pape Jules II Della Rovere » (Radio-Canada, Première Chaîne, lundi 6 mars 2000).

Les gouvernements du Canada et du Québec sont devenus les plus gros annonceurs en matière de publicité... sociale.

Toscani est une super vedette qui fait payer chèrement ses conseils et ses œuvres. Celles-ci sont souvent créées par d'autres artistes car Toscani agit pour Benetton surtout comme publicitaire stratège. Pour sa campagne du printemps 1992, Benetton diffuse l'image d'un sidéen sur son lit de mort entouré de sa famille. Voici ce qu'en dit Toscani : « L'affiche la plus choquante de cette époque, selon les critiques, me semble la plus forte, la plus émouvante. C'est une pietà vraie. Je parle de celle de David Kirby, le sidéen mourant embrassé par son père, faite par Thérèse Frare. Je connais peu d'images aussi intenses. Je l'ai affichée à travers le monde entier pour lutter contre l'exclusion des sidéens. Sans légende. Sans commentaire pour l'affadir ou l'adoucir. » Toscani m'a tiré une larme et m'a presque convaincu qu'il n'était pas qu'un mégalomane devenu une célébrité par complicité avec le monde du business et de la publicité. Il y avait pourtant, l'oublie-t-il, un slogan accolé à l'image : « United Colors of Benetton ».

Si les gouvernements du Canada et du Québec sont devenus les plus gros annonceurs en matière de publicité... sociale, cette réalité n'est pas nécessairement prisée de tous. *L'Actualité* (février 2001) a commandé une recherche à Sondagem pour savoir si les citoyens sont

La publicité papale

En 1997, le Conseil pontifical pour les communications sociales du Vatican publie un document sur l'éthique en publicité. Dans ce document, on peut lire : « Pour l'Église, la participation aux activités médiatiques, y compris la publicité, est aujourd'hui un élément nécessaire de la stratégie pastorale d'ensemble. » Cet avis donne le coup d'envoi à la publicité religieuse catholique. Quelques mois plus tard, on peut apercevoir une série d'annonces dans **Voir** ***dont une porte le titre « Femmes en amour »... pour susciter des vocations de vierges chez les jeunes lectrices (ci-dessus, une annonce de cette série).***

d'accord pour que leurs gouvernements dépensent ainsi des millions de dollars pour « justifier leurs actions ». On a trouvé que plus de 72 % des citoyens sont en désaccord !

Aux États-Unis, la publicité sociale est très présente, financée la plupart du temps par les grandes entreprises, les médias et les agences de publicité, qui veulent ainsi « se comporter en bons citoyens corporatifs ». Le tout est planifié sous l'égide de l'Advertising Council qui coordonne des efforts équivalents à près d'un milliard de dollars. Beaucoup de ces messages sont destinés aux jeunes des *high schools*, dans le but de les mettre en garde contre l'abus d'alcool, le recours aux drogues, ou la pratique du sexe avant le mariage. On utilise parfois des enfants stars qui viennent témoigner, comme le fait la jeune Britney Spears qui confie publiquement qu'elle est... vierge.

Les enfants-soldats des marchands

Nos commissaires d'écoles participent depuis 1995 à un grand bond en avant vers le partenariat avec le monde économique, à un grand mouvement de culture publicitaire. Au début de cette année-là, plus de 140 écoles secondaires du Québec avaient accepté qu'on fixe sur leurs murs des panneaux publicitaires de 20 pieds carrés près de leurs cafétérias ou dans leurs grands axes de circulation. Ces panneaux portent sept annonces de 60 pouces carrés. Pour justifier cet envahissement, Maggy Warda, vice-présidente de CommuniMed de Montréal qui a arraché ce contrat, explique le corollaire social : le reste du panneau sert à promouvoir de grandes causes auprès des jeunes et exclut les annonces négatives (friandises et autres *junk food*). Elle ajoutait fièrement : « Nous avons l'appui du ministère de l'Éducation » (*InfoPresse*, février 1995).

Il y a 500 000 enfants de 5 à 12 ans dans les écoles du Québec qui constituent pour le moment un auditoire quasi vierge ; les jeunes y sont captifs : il ne peuvent pas tourner la page ou zapper — une valeur supplémentaire pour les annonceurs assoiffés de chair fraîche ! Les publicitaires essaient de structurer ce marché de toutes sortes de façons : une boîte spécialisée en placement dans le système scolaire de matériel « commandité » m'avouait récemment que leur seule équipe place plus de 28 000 appels téléphoniques par année à des directeurs d'école ou à des enseignants pour les convaincre d'adopter le matériel pseudopédagogique de leurs annonceurs. C'est ainsi que c'est Crest qui apprend à nos jeunes à se brosser les dents, Kellogg's à prendre de meilleurs petits-déjeuners... et que McDonald's leur explique que, s'ils amènent leurs parents chez McDo, leur école pourrait aussi acquérir des ordinateurs. Pour McDo, c'est un bon investissement : peut-être 2 % des ventes en achat d'ordinateurs, et une structure de vente par palier où l'entreprise explique aux directeurs d'écoles comment fonctionne le *deal* : les directeurs l'expliquent aux enseignants qui l'expliquent aux étudiants qui le vendent aux parents... Nos écoliers deviennent ainsi les enfants-soldats des marchands.

La publicité courtise nos jeunes par toutes sortes de moyens. Dans *L'Actualité*, on suggère aux enseignants d'abonner leurs élèves au coût de 95¢ par exemplaire (30 abonnements par classe) et on leur promet de leur fournir en échange — et gratuitement ! — leur propre exemplaire, plus le *Guide d'utilisation du magazine en classe* avec suggestions d'activités et travaux pratiques, etc. Pour rendre service aux enseignants ? N'est-ce pas là encore une nouvelle forme de vente par palier dont les enseignants sont les rouages ? Comme ils le sont pour la vente de T-shirts ou de voyages « pédagogico-culturels ».

Au début de ces ententes, les publicitaires accordent aux autorités un droit de veto sur le contenu, et ils ajoutent qu'elles pourront ainsi afficher gratuitement des messages pour leurs propres causes. « Pas de place pour du *junk food* ! » promettent les publicitaires... Tout communicateur sait bien que c'est la manière de mettre un pied dans la porte et que le but final est de faire de la publicité pour tout produit destiné aux jeunes clientèles, y compris pour le *junk food* !

Les marchands sont surtout prêts à aider les riches : normal ! c'est là un meilleur investissement car il y a davantage de retombées consommatoires.

Les multinationales sont de puissants annonceurs et, pour plusieurs d'entre elles (les chaussures de sport, les repas éclair, la musique, etc.), ce sont les jeunes qui constituent leur clientèle naturelle ; le réseau des écoles est évidemment le meilleur réseau pour les atteindre efficacement. C'est donc seulement dans un premier temps qu'on accepte d'être scrupuleux sur les contenus publicitaires ! Les commissaires du district scolaire de Colorado Springs prétendent sans rire qu'ils sont heureux parce qu'ils retirent plus de 100 000 $ de la publicité diffusée dans 53 écoles et sur 130 autobus scolaires — mais leurs plus gros annonceurs sont Pepsi et Burger King !

Il est vrai que les Québécois ne sont ni les seuls ni les premiers à céder leurs espaces éducatifs aux marchands. Le Premier ministre britannique, Tony Blair (un supposé social-démocrate), a constitué depuis 1999 plus de 72 Education Action Zones ; ça, ce sont des quartiers où les entreprises privées sont autorisées à établir des « partenariats » avec les éducateurs. Mieux : la gestion de six établissements scolaires a été confiée à l'entreprise privée... Mais seuls les marchés rentables sont reluqués par les publicitaires. « À l'école Park View Academy de Tottenham, jamais aucune entreprise n'est venue offrir ses services. Et pour cause : cet établissement des faubourgs de Londres à l'allure d'usine sidérurgique est située dans l'une des agglomérations les plus pauvres de Grande-Bretagne » (*L'Express*, 20 avril 2000). Les marchands sont surtout prêts à aider les riches : normal ! c'est là un meilleur investissement car il y a davantage de retombées consommatoires.

Les enseignants sont complices. On laisse organiser le concours CV-Personnalité Banque Nationale dans lequel les représentants de la BNC viennent s'entretenir avec les étudiants sur le CV et l'entrevue d'emploi : « Les professeurs apprécient de telles activités car elles viennent compléter leur plan de cours » explique Diane Seguin, présidente de Communication DSA (*InfoPresse*, mai 1997). « Il est moins coûteux pour un annonceur de viser le milieu scolaire de cette façon [concours adapté aux cours] que de mener une campagne publicitaire à la télé » renchérit Ginette Flynn, présidente du Groupe Jeunesse, agence spécialisée dans les opérations publicitaires en milieu scolaire. Selon le Center for Media Education cité par Jean Kilbourne (1999), docteur en éducation, dans *Deadly Persuasion*, « la personne qui connaît la couleur favorite d'un enfant, ou son animal favori, ou son activité favorite, peut mixer psychologie et technologie, et le manipuler en misant sur sa vulnérabilité ».

Pour reprendre l'expression du publicitaire Jacques Séguéla : nos enfants sont en train de devenir des « fils de pub ». C'est nous qui vendons nos enfants pour un plat de lentilles : quelques dollars qui, comme le souligne le recteur Tavenas de l'Université Laval, comptent pour pratiquement rien dans le budget global de l'éducation. Mais la morale économique peut facilement nous enfermer — et nos enfants avec nous ! — dans un piège coûteux. Rappelons-nous un ou deux exemples : même au risque d'empoisonner leurs malades, les responsables des banques de sang — en France, disons ! — ont estimé qu'il en aurait coûté trop cher de jouer la carte de la prudence ; même au risque de détruire le cerveau des consommateurs par la maladie de la vache folle, des éleveurs peu consciencieux — en Angleterre, disons ! — ont choisi de produire une viande plus économiquement et plus rapidement. Alors, combien de nos enfants sommes-nous prêts à brader pour quelques dollars publicitaires ?

Un seul espoir. Les efforts des leaders sociaux les plus avertis commencent à se faire sentir : un certain nombre d'institutions font marche arrière. L'Université Laval est la première grande université canadienne qui renonce, au printemps 2000, à céder pour un million de dollars par année le monopole de ses campus à des fabricants de boissons gazeuses. Quelques mois plus tard, le recteur de l'Université de Montréal, Robert Lacroix, annonce qu'il ne renouvelle pas le contrat qui le lie à la firme Zoom Media qui gère 700 emplacements publicitaires dans son établissement.

Pour reprendre l'expression du publicitaire Jacques Séguéla : nos enfants sont en train de devenir des « fils de pub ».

Les jeunes constituent un public en or (sonnant et trébuchant !). Les chercheurs Robertson et Rossiter ont montré que plus de 47 % des jeunes de première année sont incapables de déceler que la publicité a des visées persuasives (*Journal of Consumer Research*, juin 1974). Heureusement, comme le rapporte Scott Ward (1977) dans *How children learn to buy*, la maturation naturelle et l'éducation semblent donner des résultats : cinq ou six ans plus tard, 97 % des jeunes de 12 ans reconnaissent que la publicité ne dit pas *toujours* la vérité. Ils sont capables — intellectuellement ! — de discernement, mais le discours publicitaire demeure émotivement important dans leur schème de valeur. Andersen et DiDomenico ont étudié les publicités diffusées dans les dix magazines les plus lus chez les jeunes de 18 à 24 ans. Ils ont découvert, par exemple, qu'il y avait 10 fois plus d'annonces pour les régimes et la silhouette dans les magazines de filles que dans les magazines de garçons (*International Journal of Eating Disorders*, avril 1992). Or, *Seventeen* qui s'annonce comme le « best friend of high school girls » est tiré à 1 750 000 exemplaires ! Pensez-vous que les cours d'éducation à la bonne alimentation et le *Guide alimentaire canadien* vont faire contrepoids à cette publicité qui présente des modèles mythiques (et anorexiques !) à nos adolescentes ?

Marvin Goldberg (1999), professeur de marketing à la Pennsylvania State University, explique dans *Advertising to Children* que les jeunes ne peuvent faire le poids contre la ruse publicitaire : « La nature hédoniste de la publicité, son approche émotive, son habileté à repérer des motivations puissantes sont sans doute des éléments suffisants pour éclipser temporairement les processus logiques qui permettent à une personne de se construire des défenses. » C'est pourquoi les publicitaires lorgnent du côté des enfants. Aux États-Unis, la chaîne de télévision spécialisée Nickelodeon vise les enfants de 2 à 11 ans. Ford y diffuse de la publicité. Pour y vendre des autos ? Non. Mais, comme le rappelle Richard Hétu dans son article « La publicité au berceau » : « Dans le but d'imprimer la marque de la compagnie dans le cerveau des petits [...]. En allant chercher les humains au berceau, les entreprises peuvent se les gagner jusqu'à la tombe » (*La Presse*, 27 mai 2001).

Beaucoup de marketers reniflent la bonne affaire qui les attend derrière les portes de nos écoles. Selon le Council for Aid to Education, les budgets dépensés par les entreprises en programmes « éducationnels » dans les écoles primaires et secondaires américaines sont passés de 5 millions en 1965 à 500 millions de dollars — une multiplication par 100. C'est ce qui s'appelle proliférer au centuple (chiffres mentionnés par Jean Kilbourne, dans *Deadly Persuasion*).

Le phénomène n'est pas entièrement nouveau ; il prend simplement une importance décuplée, sinon centuplée. Lorsque je fréquentais l'école primaire dès 1944, mes couvre-livres étaient fournis par les caisses Desjardins, les bandes de la patinoire portaient le nom du pharmacien ou de l'épicier de la paroisse. Mais tout cela était fait sous forme artisanale, par échange de bons procédés, par affinités communautaires. Cette publicité locale était bien différente de celle qui est produite par les géniaux publicitaires payés par les riches multinationales, et diffusée par des réseaux commercialement structurés. Ceux-ci sont d'insatiables envahisseurs — et, sérieusement, ils sont plus habiles à la négociation que les humanistes du monde de l'éducation !

Il est vrai que l'on connaît un précédent. Dans les années cinquante, on voit, pour la deuxième fois peut-être, une campagne de publicité d'envergure conçue par et pour les Québécois ; c'est une campagne dans les journaux créée dans le but de recruter des volontaires pour les Forces armées canadiennes. Cette campagne fait allusion, selon l'un ou l'autre annonce, à la religion, au Régime français, aux fiers coureurs des bois, aux chansons de folklore... C'est un succès : la campagne touche le cœur des « Canadiens français » comme on dit alors. Aussi, le ministre de la Défense nationale d'alors, Brooke Claxton, décide de rassembler les 48 annonces dans un album souvenir qu'il fait distribuer dans toutes les écoles du Québec... Dans une lettre accompagnant son envoi, le ministre explique : « Les annonces sont de beaux exemples de l'art commercial contemporain [...] leurs illustrations pourront peut-être inspirer vos professeurs dans l'enseignement du dessin [...] elles sauront développer chez vos élèves un intérêt accru à l'égard de l'histoire. » Le ministre travaille même à l'avenir de la publicité car il écrit : « Il manque actuellement de rédacteurs qualifiés dans le domaine de la publicité française et le jeune homme (*sic*) qui écrit bien peut y trouver un emploi profitable » (rapporté dans *La Pub : 30 ans de publicité au Québec*, 1989).

Les écoliers sont à vendre à titre de segment de marché à tant du 1 000 têtes — ce que les publicitaires appellent le « coût par mille », le CPM. Tout un réseau d'intermédiaires cherchent de nouvelles cibles pour les annonceurs. Les enfants constituent un segment non négligeable. Si leur revenu discrétionnaire n'est pas élevé, leur force de persuasion d'enfants-rois est grande auprès de leurs parents.

Malheureusement pour les publicitaires, se trouve en travers de leur chemin une loi québécoise qui interdit depuis 1977 la publicité aux enfants de moins de 13 ans. L'ensemble des citoyens du Québec a décidé — dans une passagère envolée socio-démocrate ? — de protéger ses enfants de la « persuasion clandestine » selon l'expression de Vance Packard (1958) — au moins à l'âge où ils peuvent difficilement porter un jugement éclairé.

Hélas, dans le mouvement de balancier vers le nouveau libéralisme, la déréglementation, le désengagement de l'État et *tutti quanti*, les marchands de tous ordres — et leurs valets lobbyistes — tentent désespérément d'envahir ce segment de marché encore relativement vierge, en questionnant la loi ou en la contournant. Et ils trouvent des comparses au sein du milieu : les gestionnaires scolaires qui, comme tout le monde le sait, ont terriblement besoin d'argent.

Jusque dans notre soupe

Les jeunes étaient fermement protégés par la loi dans les « années sociodémocrates », mais les temps changent : nous évoluons désormais dans les « années de déréglementation », de mondialisation. Dans les écoles, le problème grandit depuis que le ministre de l'Éducation lui-même, François Legault, ouvre la porte aux marchands de tous ordres. En effet, il rappelle, dans le fascicule intitulé *Publicité et contributions financières à l'école*, publié en 1999, que les modifications apportées en 1997 à la Loi sur l'instruction publique « permet notamment au conseil d'établissement de solliciter ou de recevoir des dons de personnes ou d'organismes qui désirent aider financièrement l'école ». Il ajoute : « L'examen de participation de partenaires financiers à la vie scolaire s'effectuera avec prudence et, en cas de doute sur la compatibilité d'un projet avec la mission de l'école, on saura s'abstenir de l'accepter. » Il incite donc à la prudence. Néanmoins, la porte reste ouverte car il écrit : « Comment prendre des décisions [...] qui tiennent compte aussi de sa volonté de se donner des moyens d'action additionnels ? » On voit que le ministre veut « le beurre... et l'argent du beurre ».

En réalité, la publicité est en train de faire son chemin jusque dans les services publics.

En réalité, la publicité est en train de faire son chemin jusque dans les services publics. Depuis 1995 à peu près, on voit des efforts de plus en plus systématiques pour créer des réseaux d'affichage ou d'annonces dans les services publics, institutions d'enseignement, hôpitaux, etc. Pour l'instant, ce ne sont que des affiches, mais on verra d'ici peu des téléviseurs diffusant de la publicité dans les ascenseurs ou les corridors. Aux États-Unis, ChannelOne est présent dans 12 000 *high schools*, touchant huit millions d'étudiants et 400 000 enseignants : contre un condensé de nouvelles de 10 minutes adapté à cette clientèle, l'auditoire (captif !) est soumis à la publicité de « généreux » commanditaires. Les journaux viennent d'annoncer la mise sur pied d'un semblable réseau au Canada anglais par la firme Partenaires éducatifs Athéna sous la poussée de son vice-président marketing, Gary

Pelletier, qui vise « 300 établissements avant de solliciter les écoles francophones », lit-on sur le fil de la Presse canadienne.

Les jeunes n'échappent pas à l'emprise des vendeurs, et encore moins depuis qu'ils glissent tranquillement mais sûrement vers Internet. Telle qu'elle l'expliquait à ses futurs partenaires du Publicité-Club de Montréal (*L'Actualité*, 1er mars, 1995), l'autoroute de l'information vue par un président d'entreprise — ici, la pdg du projet Ubi-Vidéotron — est devenue une autoroute de la consommation : « Ubi, ce n'est pas l'autoroute de l'information. La mission d'Ubi est de joindre le consommateur à domicile. » Et tac ! Bye bye la pudeur !

Montréal a déjà son Stade DuMaurier, son Centre Molson. Bravo ! Les équipes de sport professionnel, ce sont des entreprises qui doivent faire fructifier le capital de leurs actionnaires. Mais devra-t-on en arriver à la « Bibliothèque Cap-Rouge–Tampax » et autres incongruités ? Et il y a sûrement un prix pour que l'Université Laval devienne l'Université IBM et l'hôpital Laval, le Centre hospitalier universitaire Coca-Cola !! Pittsburg a bien sa réputée université Carnegie-Mellon, du nom d'un magnat de l'acier !

On voit donc couramment de la publicité sur les campus scolaires, mais bientôt ce seront les manuels qui en seront parsemés, les contenus de cours qui en seront étoilés, et les profs eux-mêmes qui deviendront les porte-couleurs de l'industrie et du commerce. C'est déjà commencé à l'École des hautes études commerciales de Montréal où les professeurs Louis-Jacques Filion et Jean-Charles Chebat sont respectivement « responsable de la Chaire d'entrepreneurship Maclean Hunter » et responsable de la « Chaire de commerce Omer-DeSerres ».

Les cahiers d'exercice édités par McGraw-Hill sont piquetés d'exemples Volkswagen, de beurre d'arachide Jif ou de Beanie Babies. L'agence Cover Concepts se spécialise dans le placement de publicité dans les manuels ; elle a des clients comme Calvin Klein et Nestlé (*Time*, 19 avril 1999).

Je considère que le « murmure marchand », selon l'expression de Jacques Godbout, doit être réservé à l'allée marchande. Faut-il accepter la publicité dans les églises ? Pourquoi pas ? Il y a là une clientèle captive de gens âgés qui sont dans une situation idéale pour leur passer un message. Les églises n'ont plus les moyens de subvenir à leur entretien, plusieurs sont détruites ou vendues. Pourquoi pas la publicité dans le chœur si une entreprise est prête à financer les réparations ? On trouve cette idée farfelue — pour le moment. Mais c'est ce qu'on fait déjà dans les hôpitaux et dans les écoles !

Où s'arrêteront les publicitaires ? Il ne faut pas s'attendre à ce que les publicitaires s'arrêtent. C'est leur travail de faire de la publicité. C'est leur travail de trouver de nouveaux débouchés, de nouveaux circuits, de nouveaux publics. Ils sont payés pour cela. Il faut que les gestionnaires responsables des services publics cessent de se laisser convaincre de n'importe quoi. Déjà en Suisse, on penche en faveur de l'entrée de la publicité dans les manuels scolaires. Et, en Allemagne, la vente d'espaces publicitaires dans les écoles y est déjà autorisée (*L'Hebdo*, 23 octobre 1997).

Qui dit mieux ? Le 17 janvier 2001, la ville d'Oceanside en Californie signe avec Coca-Cola une entente d'exclusivité : seul Coke est désormais disponible sur l'ensemble des propriétés de la ville, les stades, les bibliothèques, les parcs, les cafétérias, ainsi de suite.

Jacques Mazel (1987) rappelle, dans *Socrate*, que le père de la pédagogie centrée sur l'élève, au contraire de ses émules de l'époque, n'a jamais accepté d'enseigner pour de l'argent. Mazel propose une explication, que l'on peut interpréter comme une mise en garde : « La relation sociale à l'argent mesure déjà toute la considération portée à l'égard de l'enseignement — et trahit le prix attaché à vendre ce qui pourtant n'a pas de prix. » Une école, c'est pour éduquer, un hôpital c'est pour soigner, une église c'est pour prier. Et un magasin, c'est pour vendre. Si les vendeurs et leurs mandants, les publicitaires, veulent investir la place sociale, il faut en débattre sur la place publique. Pour ma part, je m'objecte à retrouver de la publicité dans ma soupe !

Ces placards, ces ritournelles, ces vidéos continueront donc d'assaillir indéfiniment des publics de mieux en mieux identifiés ? Bien sûr ! Les publicitaires sont des gens créatifs et ils sauront rejoindre les citoyens jusque dans les moindres recoins de leur vie intime ; je pense que nous verrons la publicité s'étendre et s'immiscer de plus en plus profondément dans nos vies.

Ignacio Ramonet, directeur de la rédaction du *Monde diplomatique*, fustige la publicité envahissante en ces mots : « Tentaculaire, étouffante, oppressive, la publicité ne cesse d'étendre ses domaines d'intervention [...] sous la forme discrète du parrainage [la commandite, le *sponsoring*], son champ d'intrusion ne connaît pratiquement plus de limites. Par ce biais quasi clandestin, elle est parvenue à investir, ces dernières années, l'art, la culture, la science, l'éducation et même la religion. [...] La puissance des investissements publicitaires est telle que des secteurs entiers de la vie économique, sociale et culturelle en dépendent. C'est déjà le cas des sports ou des médias. Mais aussi, de plus en plus, de la recherche et de l'enseignement » (mai 2001). N'est-elle pas déjà rendue « dans notre soupe » ?

La publicité ramollit l'être

Dans la plupart des grandes démocraties, la publicité agit de facto *comme le financier des médias.*

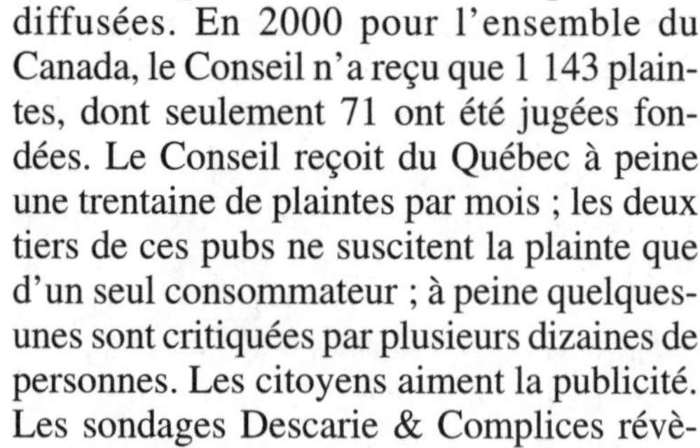

Le Conseil des normes de la publicité reçoit les plaintes des consommateurs qui voient matière à se plaindre dans certaines publicités diffusées. En 2000 pour l'ensemble du Canada, le Conseil n'a reçu que 1 143 plaintes, dont seulement 71 ont été jugées fondées. Le Conseil reçoit du Québec à peine une trentaine de plaintes par mois ; les deux tiers de ces pubs ne suscitent la plainte que d'un seul consommateur ; à peine quelques-unes sont critiquées par plusieurs dizaines de personnes. Les citoyens aiment la publicité. Les sondages Descarie & Complices révèlent des chiffres fascinants : si on leur demande de « donner une note » à la publicité québécoise, 72,6 % des répondants donnent 7 sur 10 ou mieux ; une majorité trouve qu'elle est de plus en plus intéressante : 68,4 % considèrent que la publicité québécoise « s'est améliorée au cours des cinq dernières années » (communication à l'auteur, janvier 2001).

La publicité, cette élégante aux atouts affriolants, ne sera satisfaite que lorsque tous les citoyens seront affalés sur leurs canapés capitonnés, transformés en gobeurs béats et devenus des surconsommateurs béants. La publicité ramollit l'être.

Les riches multinationales, elles, sont actives aussi longtemps qu'un créneau de consommation est rentable et le nombre de « besoins » qu'elles peuvent exciter est infini. Les gens d'affaires ont tout intérêt à ce que le peuple s'active à « dé-penser plutôt que penser ».

Dans la plupart des grandes démocraties, la publicité agit *de facto* comme le financier des médias. L'accès aux émissions d'information ou de divertissement des grands réseaux de télévision semble gratuit ; or les coûts de production, énormes, sont payés par la publicité. Tout gestionnaire de réseau doit donc faire montre de prudence pour ne pas créer un « environnement inamical » qui pourrait froisser les annonceurs bailleurs de fonds. La publicité impose donc une limite à la présumée liberté de presse : « la publicité censure ».

La publicité diffuse une culture matérialiste ; pour le publicitaire, tout bien est un bien. Deux ou trois autos plutôt qu'une rend, selon eux, la vie encore plus facile ; mais, dans leur publicité, les géants de l'auto cachent certaines données comme l'épuisement de ressources non renouvelables (le pétrole), l'émission de gaz à effet de serre (le monoxyde de carbone), les morts (l'auto est le premier tueur chez les moins de 40 ans !). Et une radio par personne, un téléphone par personne, ainsi de suite, tout entraîne à un immense gaspillage de nos ressources naturelles, de notre temps et de notre créativité. Ne vit-on pas davantage en créant qu'en consommant ?

Même la culture est influencée par la publicité. Pour le peuple, les arts visuels ou la musique, c'est ce que les médias diffusent. Or, la publicité joue un rôle primordial dans la fabrication de la culture populaire, d'abord parce qu'elle reprend elle-même les éléments de la culture populaire émergeante, et ensuite parce qu'elle pousse en avant les seules œuvres des artistes qui sont accointés avec les gens d'argent. Si bien que les sociétés « avancées » en sont venues à baigner dans « une culture de marchands ». Ce sont ces thèmes qui sont abordés ci-dessous.

Les cerveaux qui stimulent la consommation, ce sont les publicitaires.

Dé-penser plutôt que penser

Dans l'univers massmédiatique, il semble convenir davantage de consommer que de penser. Tout est mesuré aujourd'hui à l'aune de l'économie plutôt qu'à celle de la philosophie — ou de la religion comme c'était le cas naguère encore. Dans son livre *Théorie géné-*

rale de l'emploi, de l'intérêt et de la monnaie, l'économiste britannique John Maynard Keynes (1936) explique le chômage... par la faiblesse de la consommation : consommez davantage et vous créerez ainsi des emplois chante-t-il. Il trouve justification à ce que les riches deviennent plus riches : leurs dépenses ostentatoires créent de l'emploi pour ceux qui construisent leurs châteaux...

Le citoyen moyen préfère avoir plus d'argent pour acheter les biens qu'il convoite plutôt que d'avoir plus de temps libre pour réfléchir.

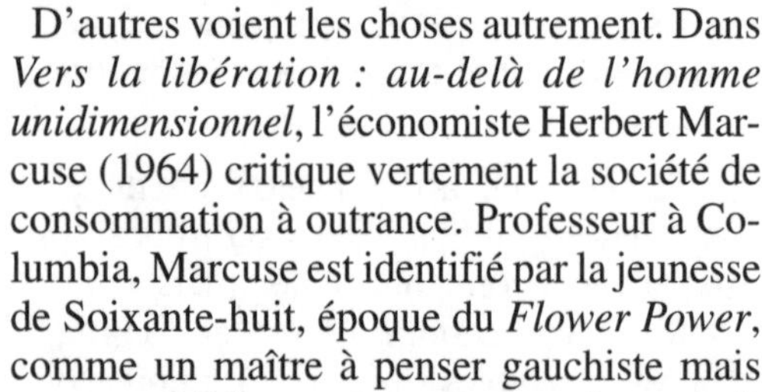

D'autres voient les choses autrement. Dans *Vers la libération : au-delà de l'homme unidimensionnel*, l'économiste Herbert Marcuse (1964) critique vertement la société de consommation à outrance. Professeur à Columbia, Marcuse est identifié par la jeunesse de Soixante-huit, époque du *Flower Power*, comme un maître à penser gauchiste mais crédible. Marcuse est un genre « d'économiste psychanalyste » ; il répète que les citoyens des pays riches ont échangé leur liberté de penser par eux-mêmes contre le confort matériel. En ce début de troisième millénaire, on peut le constater autour de nous : combien de parents troquent le précieux temps qu'ils pourraient consacrer à leurs enfants ou à leurs amis, contre des dollars additionnels qui leur permettent d'obtenir un domicile plus luxueux, de profiter de voyages exotiques, ou de s'éclater dans des loisirs commercialisés ?

Le produit intérieur brut (PIB) mesure-t-il vraiment le progrès d'une société ? Il mesure une réalité limitée, celle des dollars. Or on ne peut pas tout évaluer à l'aune de l'argent. L'économiste indien Amartya Sen, Prix Nobel en 1998, explique qu'on doit, pour évaluer le développement d'une société, miser sur un « indice synthétique » qui prend en considération d'autres critères que le profit des grandes entreprises. Son maître-livre est *Collective Choice and Social Welfare* (1970). En lui accordant son prix, l'Académie royale des sciences de Suède reconnaît : « Il a ajouté une dimension morale à l'étude des problèmes économiques. » On accordant son prix à Sen, Nobel accorde de la visibilité à une économie sociale alors qu'on avait jusque-là toujours donné toute la place à l'économie de marché, fait remarquer Mary Jane Friedrich d'*Encyclopædia Britannica Online*.

Comment fait-on pour mesurer la quantité de solidarité dans une nation ? le degré d'authenticité ? d'amour ? Avec le PIB, plus les gens d'un pays sont en santé, moins ce pays progresse ; en effet, il y aura moins de dépenses à comptabiliser et le PIB annoncé sera donc plus faible. Le généticien français Albert Jacquard (1997) fait une mise en garde de même trempe dans *La Légende de demain* : « La société occidentale, dominante et sûre d'elle-même, a confondu croissance de la consommation et progrès humain. » Or les cerveaux qui stimulent la consommation, ce sont les publicitaires.

On voit ici osciller le balancier entre les sociospiritualistes et les matérialistes. Ce ballottage se manifeste chez ceux qui pensent par eux-mêmes. Mais il faut bien avouer que le citoyen moyen préfère avoir plus d'argent pour acheter les biens qu'il convoite plutôt que d'avoir plus de temps libre pour réfléchir. Mais pour obtenir tous ces biens, il faut sacrifier quelque chose : il faut sacrifier la souplesse des horaires (l'agenda électronique et le cellulaire permettent-ils d'être plus disponible aux relations humaines ?), il faut sacrifier les moments de vrai congé (on travaille aussi sur le golf quand ce n'est pas à Cancun), il faut sacrifier la vie familiale (l'obligatoire ubiquité électronique gruge le temps familial), ainsi de suite.

Les contemporains des pays avancés sont plus riches mais leur temps de travail ne diminue pas ; il tend même, ces dernières années, à augmenter. C'est un fait que plus d'argent permet de mener la vie que l'on voit dans les médias ; or l'image de succès répandue par les médias est une image de niveau de vie. Un pays fait la une des journaux ou occupe le petit écran quand son PIB augmente — il n'est pas question de se demander si les femmes y sont traitées plus équitablement ou si les enfants y sont plus heureux. Il en va de même pour le succès personnel : bien des apprentis sorciers sont prêts à se tuer à l'ouvrage, à écraser les autres pour des vêtements Hugo Boss, une berline allemande, un cottage décoré-paysagé dans le Boisé de Saint-Machin, ou des vacances sur le Voyager of the Seas. Tous des rêves instillés par la publicité !

Dans une société de l'argent, soumis aux pressions de la publicité, même des adultes pas si naïfs s'imaginent que les objets peuvent remplacer l'amour : ils offrent largement les cadeaux d'anniversaire somptueux, les repas au restaurant, les camps de vacances exotiques, les équipements sportifs coûteux ou les cours d'art privés. Mais ces adultes ne peuvent plus être disponibles ; ils sont absents, rivés au gagne-pain, au gagne-gadgets. Si bien qu'aujourd'hui le cadeau le plus rare qu'on puisse recevoir, c'est du temps, du temps consenti par un parent, un ami, un professionnel, un inconnu.

Je parle de l'amour, mais que dire de la justice ? Naomi Klein (2001) résume dans *No Logo* ce qui se passe honteusement sur le plan économique sous la pression de la philosophie mondialiste des grandes entreprises qui négocient des Zones de libre-échange nord-américain et autres Union européenne : « Des cadres de grandes entreprises et des célébrités récoltant des salaires si élevés qu'ils défient l'entendement, des milliards de dollars dépensés en branding et en publicité — tout cela soutenu par un dispositif assis sur des bidonvilles, des usines sordides, et sur la misère et le pilonnage des espoirs de jeunes femmes telles que celles que j'ai rencontrées à Cavite [port des Philippines près de Manille] luttant pour leur survie. » « Pour les entreprises, soutient l'économiste Léo-Paul Lauzon (2001) dans *Contes et comptes du prof Lauzon*, l'exploitation de la pauvreté est devenue partie prenante de leur stratégie de marketing. »

Mais un humain équilibré, ce supposé « roseau pensant » selon l'expression de Pascal, devrait passer plus de temps à penser que de temps à dé-penser ! Or que fait la publicité ? Elle joue sur tout instant d'inaction ou d'inattention pour convaincre le chaland d'acquérir des biens (superflus pour la plupart !), l'obligeant ainsi à consacrer plus de temps au travail. Alors, esclave du travail, le citoyen devient moins libre d'opiner !

La publicité qui censure

Est-ce que l'argent publicitaire est innocent ? Le professeur James Twitchell (1996) révèle dans *AdCult USA* des faits ahurissants. BBDO, une des quatre grandes agences mondiales, a déjà coupé d'un million et demi de dollars ses placements dans le *Reader's Digest* parce que l'éditeur avait fait une mise en garde contre les dangers de l'utilisation du tabac ; c'étaient les dollars de l'American Tobacco. Toyota a déjà pénalisé *Roads & Tracks* parce que l'éditeur n'avait pas mentionné ses produits sur la liste des meilleurs achats. *Time Magazine* élimine toute référence aux dangers de la cigarette dans une section spéciale sur la santé (peur de « froisser » ses annonceurs ?). *Newsweek* ne fait aucune allusion à la cigarette dans son numéro spécial sur « What you should know about hearth attacks ». Pourquoi ces revirements ?

Pourrait-on lire dans la section Automobile de *La Presse* ou du *Journal de Montréal* un article sur la façon d'étrangler un concessionnaire quand vient le moment de négocier l'achat d'une auto ? Ou, dans la section habitation, comment acquérir une maison en contournant le courtier ? Ou, dans la section restauration, pourrait-on lire autre chose que « l'ambiance est agréable, les plats sont intéressants, les patrons sont gentils et les prix sont abordables » ? Non, vous n'avez rien lu de tel parce que ces sections sont financés directement par les annonces adjointes. Pourrait-on lire dans *Elle Québec* ou autre « madame magazine », un point de vue critique ou des mises en garde sur les cosmétiques ? Non, le poids publicitaire est trop grand dans l'équilibre financier de la presse et c'est pourquoi les rédactions sont devenues complaisantes. Soyons honnête : oui, c'est vrai, j'ai lu, dans le périodique de la publicité québécoise *InfoPresse*, un dossier intéressant intitulé « La publicité va-t-elle trop loin ? » (septembre 1998).

Le poids publicitaire est trop grand dans l'équilibre financier de la presse et c'est pourquoi les rédactions sont devenues complaisantes.

Malgré l'horreur qu'un tel état de fait peut susciter chez certains, il semble que la situation s'améliore plutôt si on se réfère à cette anecdote racontée par Jean-Marie Allard (1989) dans *La Publicité : 30 ans de publicité au Québec* : « Au début des années soixante, avec l'implantation progressive des stations [de télévision] privées, les agences et leurs clients seront devenus à toutes fins utiles les rois et maîtres des ondes. Dans les studios de télévision, il y avait ce que l'on appelait le *client's booth* où s'installait un représentant de l'agence qui surveillait les intérêts de son client *tant du point de vue contenu de l'émission* que de la livraison proprement dite des messages publicitaires. » Et on continuera d'affirmer qu'il existe une cloison étanche entre le service de programmation et celui de publicité ?

Dans tout journal, rédaction et publicité sont supposément deux services indépendants. Pourtant, Ronald Collins affirme dans le *Washington Journalism Review*, revue de recherche sérieuse sur le journalisme, que 80 % des annonceurs préviendraient les éditeurs qu'ils réduiraient leur budget de placement en cas d'« environnement inamical » (« Dictating Content : How Advertising Pressure Can Corrupt a Free Press », 1992). Voici un exemple raconté par Steven

Chin, journaliste du *San Francisco Examiner* et seul journaliste du site Web Channel A. Ses bailleurs de fonds ne veulent pas qu'il identifie comme tel « l'advertorial », de la publicité (*advertising*) déguisée en matière éditoriale. À un moment, on le fait venir pour lui préciser que les articles sur le monde du travail, la politique ou les problèmes raciaux sont inappropriés pour un site comme Channel A, et qu'il doit se contenter de parler de « lifestyles » et de décoration. « J'ai fini par être écœuré de voir chacun de mes articles jugé sur sa capacité à générer des ventes, raconte Chin. C'est devenu clair qu'il n'y avait plus de place pour le journalisme » (http://ajr.newslink.org/ajrjdsept98.html). De manière générale, les journalistes savent ce qui est acceptable ou pas pour leurs propriétaires-financiers ; c'est ce que l'on appelle l'autocensure.

Le philosophe Jacques Dufresne (1999) rapporte dans *Après l'homme, le cyborg* un exemple d'autocensure déclenchée par la relation financière entre un média et les publicitaires, exemple dans lequel il est personnellement impliqué : « Dans un station [de radio où j'avais été embauché pour exprimer mes opinions] mon contrat verbal a été rompu car, plutôt que d'approuver la publicité qu'une chaîne de *fast food* se faisait à elle-même en associant son image à celle de la recherche biomédicale classique sur le cancer, j'avais posé en ondes la question suivante : "Ne serait-il pas plus approprié que la compagnie en cause finance les recherches sur les rapports [possibles] entre le cancer et le *fast food ?*" Quelques minutes après [la fin de] l'émission, le propriétaire de la station, un ami, me priait d'accepter de mettre fin à notre entente. Il avait lui-même reçu un appel de l'agent [de publicité] de la chaîne de *fast food*. À noter qu'il ne bénéficiait pas encore des largesses financières de ladite chaîne. Il était [simplement en train] de négocier un accord [pour un budget de diffusion publicitaire]. L'agent lui a signifié qu'il devait d'abord se débarrasser du commentateur qui avait osé évoquer l'hypothèse d'un lien entre le hamburger/frites et le cancer. »

Dans son livre *L'Effet caméléon*, Claude Paquette (1990) parle de « la gestion des apparences » et il donne un exemple où l'image remplace la réalité par un effet de collusion entre les gens des médias eux-mêmes, qu'ils soient d'un côté ou de l'autre de la caméra. Il raconte que le 18 mai 1989, le Premier ministre du Canada, Bryan Mulroney, et son épouse Mila arrivent par avion dans le petit village de Saint-Irénée dans Charlevoix. La porte s'ouvre, Bryan et Mila apparaissent tout sourire. Les caméras sont braquées sur eux qui saluent la foule de la main. Or tout cela n'est que théâtre : il n'y a pas de foule pour les recevoir. Eux jouent leur rôle de leaders aimés... tandis que les « journalistes » jouent leur rôle de complices ; il aurait été impensable de tourner les caméras de 180° pour révéler ce faux-semblant. Autocensure ! Le philosophe Jacques Dufresne rapporte une autre anecdote qui révèle jusqu'à quel point les gens de médias sont des autocenseurs pointilleux. Il raconte : « Alors que je participais à titre de contractuel à une émission d'opinions dans une radio privée, j'ai eu la témérité de critiquer une vedette en feignant d'ignorer que cette vedette payait elle-même des messages publicitaires dans ladite station. Or l'un de ses messages devait passer immédiatement après mon intervention. J'ai lu la réprobation, voire la consternation, sur tous les visages autour de moi. Je venais de commettre le péché contre l'autocensure. Ce fut l'une des raisons pour lesquelles mon contrat n'a pas été renouvelé. »

Vous pensez que l'exemple donné plus haut du *client's booth* ne pouvait se passer que dans les années soixante ? Le journaliste Louis Cornelier exprime la même idée en l'an 2000 : « La promotion du secteur privé et de ses valeurs prend beaucoup de place [dans les médias] et le poids des annonceurs relègue le principe du droit du public à l'information au second plan. On taira, par exemple, que telle compagnie exploite les enfants, on soumettra le contenu aux annonceurs qui tiennent à les surveiller et on ira jusqu'à confondre, parfois, publicité et information pour donner de la crédibilité à la première » (*Le Devoir*, 12 mars 2000). Il exagère peut-être ce Cornelier...

Et jusqu'où irons-nous dans la promiscuité publicité-information avec la concentration croissante de la presse qui se rassemble de plus en plus en conglomérats tentaculaires : America on Line (Internet) fusionne avec Time-Warner (qui est déjà la fusion d'un prestigieux groupe de périodiques et d'un *major* du cinéma). La puissante multinationale Quebecor diffuse désormais un slogan qui la caractérise : « Une offre complète, globale et intégrée ! » Quebecor, c'est le plus grand imprimeur commercial du monde ; mais c'est aussi dix grands quotidiens, deux entreprises de télévision, huit maisons d'édition, une foule d'hebdomadaires dont *Écho-Vedettes*, de nombreux périodiques dont *Clin d'œil*, des entreprises de distribution dont Messageries dynamiques, des boîtes de multimédias, le portail Internet Canoe, la chaîne de disquaires Archambault, et on est en train d'acquérir une papetière d'envergure, etc.

Le journaliste Gil Courtemanche montre que ces intégrations verticales influencent la publicité en contrôlant les moyens de diffusion : « Par exemple, une chanteuse qui, parce qu'elle fait la première page d'un magazine Quebecor, passe à une émission de télé Quebecor qui est critiquée par un *Journal de Montréal* Quebecor qui parle de son spectacle produit par une filiale Quebecor et dont les extraits sont présentés sur un site Internet Quebecor. Elle aura bien sûr une biographie autorisée Quebecor, des tee-shirts Quebecor, et un nouveau disque Quebecor. » Il résume la situation en ces mots cinglants : « L'année 2000 aura été l'année de la fin de la liberté d'information dans le silence absolu et poli des journalistes qui regardent, muets, leur terrain d'expertise grugé par des comédiens, des "performers", des amuseurs publics. [...] Une telle emprise sur la pensée des gens s'appelle le totalitarisme. Nous sommes devenus la nouvelle Union soviétique. Et nous en sommes heureux » (*Voir*, 21 décembre 2000).

« Plus la publicité fait de bruit, plus elle impose le silence sur son fonctionnement réel. »
(Barthélémy et Tilliette)

Si la publicité constitue un phénomène de masse et culturel important, on peut se demander pourquoi aucun média de masse ne dispose d'une chronique régulière pour évaluer les campagnes publicitaires les plus remarquées, les soupeser, les critiquer ? Les articles (ou les émissions !) sur la publicité sont souvent écrits par des publicitaires ou par des personnes qui vivent de la publicité ; ces papiers ne sont que des autopublicités déguisées. Ils sont souvent bien écrits et bien documentés, mais peu critiques. Comme le font remarquer Barthélémy et Tilliette (1983) dans *La Pub* : « Cette publicité qui n'a de cesse de nous provoquer à travers tous les médias reste encore un des sujets tabous de la grande presse, de peur que les annonceurs désertent ses colonnes, d'où le paradoxe : plus la publicité fait de bruit, plus elle impose le silence sur son fonctionnement réel. »

Dans *Le Poète*, Michael Connelly (1997), Prix Pulitzer, fait dire à son personnage principal : « Les paroles de Glenn dévoilaient la vérité qui se cachait derrière une grande partie du journalisme contemporain. Il n'y était guère question d'altruisme, de service public et de droit à l'information. C'était devenu une question de concurrence, de rivalité et de publicité. » En effet, comme le rapportent Gutstein et Gruneau (2000) dans *The Missing News*, une enquête canadienne commandée récemment par Newwatch Canada de la chaîne de télévision CBC révèle que 43 % des journalistes avouent être soit « souvent » soit « occasionnellement » victimes de pressions exercées par les annonceurs qui investissent en publicité dans leur journal. Eh oui ! la publicité censure.

Entraîner au gaspillage

Aux États-Unis plus qu'ailleurs, les marchands investissent en publicité pour décupler le désir chez les pauvres comme chez les riches. « L'animal est une créature du besoin, alors que l'homme y ajoute le désir. Le besoin est organiquement ressenti (la soif...) ; le désir est la sensation d'un manque qui n'est pas un besoin », précise le logicien Marcel Boisot (1999) dans *La Morale, cette imposture*. Aussi, les entrepreneurs nord-américains ne se privent-ils pas pour stimuler les désirs : l'Amérique du Nord dépense deux fois plus en publicité que l'Europe dans les cinq grands médias de masse : aux États-Unis, on investit près de 400 $ par habitant par année ; en France, 160 $ par habitant. Et ça marche ! Selon des recherches rapportées par Juliet Schor (1998) dans *The Overspent American*, le Nord-Américain moyen possède quatre fois plus d'objets que l'Européen moyen. Le quintile le plus pauvre d'aujourd'hui dépense davantage que le citoyen moyen de 1955 ; on construit des maisons qui sont deux fois plus grandes que les maisons d'il y a 40 ans. Ainsi de suite. À cette époque récente, seuls les riches disposaient de temps et de revenus suffisants pour magasiner. Aujourd'hui, le « jour du Seigneur » sert plutôt aux oisifs pour arpenter les centres commerciaux comme s'il s'agissait d'une cathédrale...

Par ailleurs, j'entends souvent des récriminations contre le taux de taxation élevé au Québec : « Il est le plus élevé en Amérique ! C'est inacceptable ! » Ceux qui se plaignent ainsi sont soit riches, soit naïfs. Ma fille a demeuré dans une banlieue aisée de Philadelphie. Qu'est-ce qu'elle a constaté et que j'ai vu ? Oui, les taxes sont moins élevées. Mais seuls les riches ont des quartiers entretenus avec trottoirs et ameublement urbain... quand ces quartiers ne sont pas privés. Des parcs de quartier, il y en a peu ; ceux qui veulent des équipements doivent s'abonner à un centre de loisirs privé... et payer. Pour traverser le pont, il en coûte deux dollars ; les pauvres n'ont qu'à rester chez eux ! Pour la santé ? Cela coûte près de 10 000 $ par année pour assurer la famille. Ainsi de suite. Dans *L'Ère de l'opulence*, l'économiste John Kenneth Galbraith (1961), professeur à Harvard, exprime sa foi dans le système capitaliste mais en faisant remarquer que la richesse ne réside pas seulement dans une production accrue mais aussi dans des services publics élargis.

Une autre fonction de la publicité, c'est de convaincre par tous les moyens que les objets ne sont plus adéquats, qu'ils sont « dépassés ». Dans l'économie de marché, l'obsolescence planifiée est une qualité du marketing — « obsolescence » : les académiciens ont pensé que les Français aussi avaient besoin d'un mot pour décrire cette nouvelle réalité, la désuétude provoquée par la publicité. Les objets ne sont pas écartés parce qu'ils sont usés ou brisés ; ils souffrent de « vieillissement psychologique », ne répondent tout simplement plus à l'image que les consommateurs se font d'eux-mêmes. Renouveler la valeur symbolique des objets, c'est aussi à cela que sert la publicité.

Les adeptes d'un média sont aujourd'hui de simples publics cibles offerts en enchère aux publicitaires. Par exemple, un rédacteur en chef est prêt à abonner des personnes à son périodique quasi gratuitement parce que les noms supplémentaires de sa liste d'envoi sont des noms de plus qu'il peut vendre aux publicitaires. Gaspillage de ressources humaines pour des abonnés qui ne sont pas de vrais lecteurs ! Et que penser du gaspillage de papier : près de 2 000 acres de forêt sont détruites chaque année par un grand quotidien new-yorkais... dont le tiers ou la moitié de l'espace est occupé par la publicité. De telle sorte que John Burke estime que la « publicité a contribué largement à polluer [...] les ruisseaux, les rivières, les lacs et les eaux côtières de l'Amérique » (« Wood, Pulp, Water Pollution, and Advertising », *Technology and Culture*, janvier 1979).

Et désormais la publicité prétend contribuer au *one-to-one* marketing : par les statistiques que les grandes banques de données mettent à la disposition des marketers, elle traque chaque consommateur personnellement. Un publicitaire peut dorénavant coupler les données de votre code postal avec votre numéro de téléphone, votre navigation Internet, les achats faits sur votre carte de crédit... La Federal Trade Commission des États-Unis a enquêté sur 1 400 sites Web ; elle a trouvé que 85 % de ces sites colligeaient des renseignements personnels sur leurs visiteurs — mais que seulement 14 % les en avertissaient (*Wall Street Journal*, 4 juin 1998). Dan Schiller (2000), l'auteur de *Digital Capitalism*, : « Les informations concernant les habitudes de consommation acquièrent une importance stratégique. America on Line (AOL) dispose de données assez fines sur les 130 millions d'abonnés aux magazines (*Time*, *Fortune*, etc.), chaînes câblées (CNN) et services Internet qu'elle contrôle » (*Le Monde diplomatique*, mai 2001).

Les stratèges de la publicité peuvent ainsi constituer sur vous un profil psychographique et vous soumettre par la suite à la seule publicité des produits susceptibles de faire partie de votre champ d'intérêt — ou adapter l'argumentation à vos « cordes sensibles » à vous, pour vous vendre ce dont vous ne pensiez pas avoir besoin.

Le revenu moyen de la famille Tout-le-monde, qui habite une petite ville de banlieue bien ordinaire de la région de Montréal, disons Châteauguay, s'élève à près de 55 000 $ Or, selon, l'Institut de la statistique du Québec, en 2000, un couple avec enfants dépense ses revenus de cette façon :

20,0 % pour l'alimentation	3,3 % pour les soins de santé
21,6 % pour le logement	2,8 % pour les soins personnels
7,5 % pour l'entretien ménager	7,1 % pour les loisirs
4,0 % pour l'ameublement	1,9 % pour l'éducation
7,8 % pour l'habillement	3,1 % pour le tabac et l'alcool
16,7 % pour le transport	4,2 % pour les dépenses diverses

La famille Tout-le-monde dépense donc, chaque année, près de 4 300 $ pour les vêtements seulement. De plus, elle dépense 9 200 $ en « transport ». De vrais voyageurs qui élargissent leur culture et visitent de riches civilisations ? Bien sûr que non ! Ces gens veulent profiter de la « liberté » que leur procure l'automobile. Rien que pour le superflu (soins personnels, loisirs, journaux, tabac, alcool et divers), elle dépense 9 500 $. La famille Tout-le-monde réagit très bien à la publicité : elle veut vivre « comme tout le monde » ! Aussi est-elle endettée comme tout le monde au Canada, sur ses cartes de crédit et autres formes d'emprunt, pour un total avoisinant... dites un chiffre ! Eh oui ! 27 000 $.

Les publicitaires n'auront de cesse que s'ils réussissent à convaincre tout un chacun de consommer toujours plus, et, ce faisant, de consumer la Terre... quand ce n'est pas de consumer ses propres forces. Ils réussissent fort bien avec les jeunes. Une étude récente du sociologue Robert Manning de l'Université de Georgetown et publiée par la Trane Federal Credit Union, démontre que « la mise en marché des cartes de crédit sur les campus est faite agressivement et efficacement ». L'étude révèle que certains collèges et universités tirent profit de ces activités commerciales en étant payés par les entreprises. Résultat : 81 % des étudiants obtiennent leur première carte de crédit avant la fin de leur première année d'université (70 % en avaient déjà une avant de terminer leurs études collégiales) ; les *revolvers* (ceux qui sont incapables de payer la totalité de la somme mensuelle due) supportent des soldes supérieurs à 2 000 $ en moyenne, et pour 20 % d'entre eux ce solde excède 10 000 $. L'endettement des jeunes est tel que l'Université de l'Indiana rapportait en 1998 qu'elle perdait davantage d'étudiants à cause de leur incapacité à rembourser leurs dettes qu'à cause de leurs échecs scolaires (Trane Federal Credit Union, « Student Credit Card Debt Looms Large », http://www.tranefcu.org/whatsnew/071999/student.html, 1999).

La famille Tout-le-monde [...] veut vivre « comme tout le monde » ! Aussi est-elle endettée comme tout le monde au Canada.

Selon Alain Giguère, président de la maison de sondage CROP qui travaille beaucoup pour le marketing et la publicité, 43 % des Québécois « donnent un sens à leur vie en se jetant corps et âme dans une ou deux catégories de consommation » (*L'Actualité*, janvier 1992). N'est-ce pas effarant de penser que le sens de la vie vient à d'aucuns de la seule possibilité de posséder des objets. Amulettes et autres gris-gris ont donc fait leur apparition sous d'autres formes dans la société contemporaine : ce sont les objets que la publicité dore du prestige de la marque.

Serge Mongeau, le médecin apôtre de la « simplicité volontaire », exprime concrètement dans la revue *RND* l'absurdité de cette consommation à outrance qui est celle de nos villes : « Quelle superficie de terre disponible est nécessaire pour répondre à chacun de nos besoins ? Wackernagel & Rees démontrent dans *Notre empreinte écologique* qu'un Canadien utilise en moyenne 7,8 hectares pour répondre aux besoins de son mode de vie (1999). Or, en divisant tous les hectares disponibles sur terre par la population mondiale actuelle, on obtient 2,1 hectares par habitant. En utilisant 7,8 hectares, nous prenons plus de trois fois et demie notre part. Cela réduit de beaucoup la part des autres ! » (mars 2000).

Les marchands sont tous adeptes du libre marché, de la mondialisation, de la déréglementation... Peut-on croire que les gens d'argent, « capitalistes » par nature, ont pour objectif de faire avancer le progrès ? Peut-on vraiment gober l'idée que des marchés plus libres vont permettre de créer une situation avantageuse pour le citoyen consommateur ? Laissez libres les compagnies aériennes d'offrir — selon la philosophie du marketing — le service « que le consommateur désire », laissez-les fixer le prix du marché, et vous verrez petit à petit les avions manquer d'entretien jusqu'à ce qu'ils s'écrasent. Un exemple plus terre à terre (!) et qui n'est qu'un exemple récent parmi tant d'autres : « 50 % des autocars Sherbus sont dangereux pour les passagers », titre à la une *Le Soleil* du samedi 11 mars 2000.

Non, les capitalistes ont pour premier objectif d'assurer des profits à court terme à leurs actionnaires. La publicité leur sert à stimuler les ventes... et à dorer leur image d'entreprise pour rassurer les actionnaires potentiels. Comme le juge le sociologue-philosophe Francesco Alberoni (1996) dans *La Morale* : « Il y a quelque chose de malsain, d'erroné dans l'idée [...] des théoriciens de la concurrence, d'après laquelle le conflit, à lui tout seul, nous conduirait au niveau le plus élevé, nous mènerait au progrès. »

Pour mettre un frein à ce gaspillage, pour augmenter la résistance aux charmes de la publicité, il ne nous reste qu'un seul espoir : investir toujours davantage dans un système d'éducation universel et gratuit. Cette idée n'est plus tellement à la mode comme le rabâche le slogan de la droite « Le citoyen utilisateur doit être le citoyen payeur ! » Mais seule l'éducation permet à chacun d'assembler petit à petit des points de comparaison, de développer un esprit critique, bref, l'éducation apprend à penser par soi-même plutôt que de succomber naïvement aux sirènes publicitaires des marchands. Sinon, le citoyen qui ne s'est jamais colleté aux idées des autres, en particulier aux idées des penseurs universels, se contente de rabâcher les lieux communs qui sont répétés dans les médias de masse : « Nous avons droit au bonheur ! », un « droit » que seuls les citoyens des pays riches réclament. « Seules les sociétés avancées, avancées dans leur démagogie au service du politique, de l'économie et des médias, agitent avec une frénésie accrue ce hochet de la vulgarité (du latin *vulgus*, le commun des hommes), ce mirage auquel on fait semblant de croire, qui fait se battre les hommes et courir les foules : le bonheur » précise le logicien Marcel Boisot (1999) dans *La Morale, cette imposture*. Mais le publicitaire Frédéric Beigbeder (2000), plus cynique, rétorque dans *99 francs* : « Dans ma profession, personne ne souhaite votre bonheur, parce que les gens heureux ne consomment pas. »

Le citoyen éduqué pense davantage par lui-même ; il est moins dupe de la publicité. Mais le système d'éducation lui-même répond de plus en plus aux impératifs de l'économie — davantage qu'à des choix philosophiques. Aujourd'hui, on bourre nos jeunes de connaissances « pratiques ». Nos universités deviennent peu à peu des collèges techniques. Nos jeunes suivent les traces des leaders de l'économie dominante : ils n'apprécient dans les cours que les éléments qu'ils estiment payants à court terme. Courte vue ! Les jeunes sont devenus les rouages consentants de l'économie.

Voilà où le marketing et sa publicité nous ont menés. Voici quelques chiffres présentés par Michel Chossudovsky (1998) dans *La Mondialisation de la pauvreté* : 20 % de la population du globe consomme 80 % des richesses de la planète ! Une famille moyenne nord-américaine a des revenus *cent fois* supérieurs à ceux d'une famille vietnamienne, et elle réussit à tout dépenser ce revenu... et même à s'endetter ! Les membres de cette famille en sont obèses, et leur cave est encombrée de biens inutiles. Les Américains à eux seuls consomment chaque année pour 30 milliards de dollars en Pepsi et Coke seulement. Gaspillage ! Par la publicité, nous sommes tous « entraînés au gaspillage ».

Le professeur de philosophie Pierre Desjardins, dans un article intitulé « Les exclus : 16,5 % des Québécois vivent au seuil de la pauvreté », écrit : « D'une part, il existe à l'échelle de la planète une classe d'élites reliées entre elles par de puissants réseaux de communication et qui, grâce à un système d'alliances économiques, gardent le contrôle sur l'économie, et, d'autre part, il y a la masse de citoyens, "dressés" par les médias de masse à vouloir consommer toujours davantage et perdus dans un monde dont le sens leur échappe complètement » (*Le Devoir*, 1er août, 2000).

Une culture de marchands

Marshall McLuhan (1968) écrit dans *Pour comprendre les média* : « Les historiens et les archéologues découvriront un jour que les annonces [publicitaires] de notre époque constituent le reflet quotidien le plus riche et le plus fidèle qu'une société ait jamais donné de toute la gamme de ses activités. » Les publicités reflètent comme un miroir ce que les humains sont, font et ont. La publicité québécoise met en scène la façon dont nous vivons, les traditions que nous perpétuons, la langue que nous utilisons, les arts que nous pratiquons, ce que nous mangeons, ce dont nous nous vêtons, les objets que nous possédons ; elle met en valeur notre spiritualité, nos préjugés, nos tabous, nos droits, nos lois ; elle monte en exergue les valeurs que nous privilégions (travail, individualisme, amour, hédonisme...) ; elle révèle la façon dont nous naissons, nous élevons nos enfants, nous considérons les aînés ou la mort. Quand cette publicité est téléguidée d'ailleurs, financée par les transnationales, conçue sur Madison Avenue, elle nie notre différence ; et notre façon d'être comme Québécois s'étiole.

Quand cette publicité est téléguidée d'ailleurs, [...] elle nie notre différence ; et notre façon d'être comme Québécois s'étiole.

Or les nations sont, pour ces transnationales, les objectifs d'une guerre économique à finir : de nos jours, les territoires à conquérir sont les « marchés ». Et l'arme d'information-désinformation de cette guerre économique, c'est la publicité — et la publicité livre ses batailles sur le terrain culturel. Le professeur Henri Gobard (1979) écrit dans *La Guerre culturelle* : « Les ravages de la guerre culturelle sont pires que ceux de la lutte économique : la lutte, c'est la domination de l'adversaire ; la guerre, c'est la destruction physique de l'ennemi, et la guerre culturelle, l'anéantissement de son âme. » Il explique : « Les impératifs commerciaux des sociétés multinationales impliquent la création d'un marché *homogène*, d'une *clientèle mondiale* aussi peu diversifiée que possible afin de pouvoir vendre la *même* bouteille de liquide ou le *même* vêtement à des millions de consommateurs. La propagande de la guerre culturelle fera donc tout pour intensifier le *matraquage dit publicitaire* et qui n'est que la nouvelle forme du bourrage de crâne. Le matraquage publicitaire est une forme moderne et supérieure de la propagande » (les italiques sont de l'auteur lui-même). Non seulement les objets offerts et dont le désir est stimulé sont-ils homogènes, mais les messages qui les vantent tendent eux aussi à être homogènes... par mesure d'économie globale.

Quand, il y a cinquante ans, les jeunes Québécois faisaient leur cours classique, ils acquéraient une culture humaniste, basée essentiellement sur les belles-lettres et la philosophie ; quand les jeunes d'aujourd'hui s'inscrivent dans un collège, ils subissent la pression sociale qui les incite à choisir les sciences et la technologie. Quant à la communication, chaque année, le Département d'information et de communication de l'Université Laval à elle seule reçoit près de 1 500 demandes d'admission de jeunes qui veulent devenir pour la plupart publicitaires ou relationnistes, une minorité optant pour le journalisme.

C'est que chaque grande civilisation est passée à l'histoire avec les caractéristiques qui sont propres à sa culture. La Grèce antique et l'Allemagne du 19e siècle ont donné au monde la philosophie ; l'Italie de la Renaissance, les arts plastiques ; la Grande-Bretagne du Moyen Âge, le système parlementaire et le *common law* ; la France révolutionnaire, les libertés et droits individuels. L'Amérique du Nord, elle, sera sans doute caractérisée par sa culture de l'entrepreneuriat, de la consommation et de la publicité.

La publicité façonne la culture populaire d'aujourd'hui. Prenons seulement l'aspect artistique ; la publicité québécoise est réalisée par les meilleurs photographes, cinéastes, musiciens, comédiens, etc., actifs au Québec. Certains de ces artistes se font une gloire d'être remorqués par la locomotive économique et de voir leur « œuvre » ainsi exposée à un large public ; mais plusieurs le font avec réticence, pour gagner leur croûte, et se méprisent en secret de sacrifier ainsi au dieu Mammon. Le sociologue Gérard Lagneau (1969) écrit dans *Le Faire-valoir* : « Inverse de l'ascèse artistique, l'abaissement publicitaire vers le grand public où se contraignent l'écrivain et le peintre est ressenti par eux comme une chute dans la vulgarité du siècle ; la floraison d'associations ou de clubs où les créatifs communient dans la

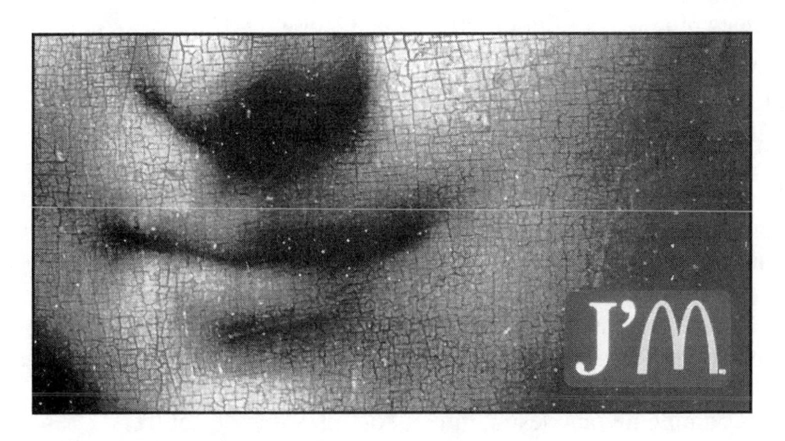

L'art marié à l'argent

Certaines œuvres d'art sont connues d'un large public ; certaines jouissent d'une aura mythique. C'est le cas de **La Création** *de Michel-Ange, de* **La Joconde** *de Léonard de Vinci ou le principe du plaisir de Magritte. Ce sont ces œuvres que les publicitaires choisissent pour donner, par osmose, de la qualité aux produits qu'ils vantent.*

Ce panneau-réclame des restaurants MacDonald's a gagné plusieurs prix, sans doute pour sa simplicité, et encore davantage pour son « slogan » qui a été publié dans le **Livre des records Guiness** *comme le plus succinct jamais créé. Je considère effectivement que c'est un petit chef-d'œuvre : il rassemble en deux lettres « l'argument » (j'aime) et le logo de l'annonceur. Il a été créé par Cossette Communication Marketing en 1987.*

conviction que l'œuvre publicitaire peut malgré tout être un art, a pour rôle objectif de conjurer cette déchéance. »

Parce qu'elle est diffusée massivement, c'est désormais l'annonce publicitaire qui devient, aux yeux des gens ordinaires, la quintessence de l'œuvre d'art. À toutes les époques du passé, les œuvres d'art n'ont été accessibles qu'aux riches ; les riches d'aujourd'hui, ce sont les gens d'affaires. Et pour les gens ordinaires d'aujourd'hui, les arts visuels, ce sont les panneaux-réclame polychromes de la nouvelle Coccinelle de Volkswagen ; le théâtre d'aujourd'hui, c'est Monsieur Bell avec ses instantanés dramatiques ; la beauté d'aujourd'hui, c'est Calvin Klein qui re-produit des clones humains : des filles plates et des gars qui ont l'air fatigués de la vie. La culture de masse, c'est ça.

Pire : dorénavant, ce ne sont plus les musées mais les marchands et leurs mandataires publicitaires qui créent les événements culturels. C'est Oldsmobile et non le Musée des beaux-arts de Montréal qui présente en 1999 « Giacometti, le plus grand sculpteur du 20e siècle ». Mais, le plus grand sculpteur, n'est-ce pas plutôt « Rodin » présenté la même année au Musée du Québec par le Groupe Investors. Ironiquement, si je veux écouter un concert gratuit, je suis obligé de me rendre au grand magasin Les Ailes de la mode. Le monde est à l'envers : les concerts se donnent dans les magasins et les musées sont devenus des panneaux-réclame. Jacques Godbout résume : « L'hyperclasse [des propriétaires du capital] s'est emparée de nos rêves comme de nos désirs, qui ne sont plus que des objets de consommation mis en scène par la publicité » (*L'Actualité*, 15 avril 2000).

Bref, la culture d'aujourd'hui est une culture de marchands, concoctée par des stratégies marketing et portée sur la place publique par la publicité. Quand les multinationales de la musique s'objectent à la diffusion des MP3 sur Internet, elles ne veulent pas protéger leurs artistes mais leurs profits ; les jeunes artistes savent, eux, que le MP3 est un des rares moyens dont ils disposent pour faire connaître leur musique. La culture musicale d'aujourd'hui, c'est celle qui est soutenue par les accointances avec les médias de masse, et par des stratégies de publicité et de relations publiques massives, coûteuses. Coûteuses mais rentables. Une *industrie* culturelle !

Cette culture imposée par la publicité s'impose même en gastronomie (!) : si l'on demande aux jeunes Américains de 9 à 12 ans quel est leur aliment préféré, 36 % répondent la pizza, 32 % le hamburger-frites, 14 % le poulet (pané, évidemment !), et 7 % les pâtes. Et leurs boissons préférées ? 23 % répondent Coke, 21 % Dr Pepper, 17 % Pepsi, 8 % Sprite et... 8 % le thé glacé (« Children's Market Research », *Marketing to Tweens 2001 Report*). N'est-ce pas une démonstration que la publicité agit puissamment sur les jeunes ?

Financée par la publicité, toute la place médiatique est investie majoritairement par des clowns qui ont pour mission de divertir. Pour les médias de masse, divertir est le mot clé de la caverne d'Ali Baba. Et la publicité est la siamoise du média de masse gratuit : tous deux n'ont pas pour but d'informer mais de divertir. Comme l'écrit Fred Inglis (1972) dans *The Imagery of Power* : « L'âge de la communication de masse a comme premier effet de mélanger politiciens, gens de spectacles, journalistes et gens d'affaires et, à divers degrés, de leur faire une place de choix en tant que héros d'une société. » Le Français Jean-Marie Messier est président multimillionnaire du groupe de médias Universal-Vivendi (300 000 employés dans 100 pays) ; dans *j6m.com : Faut-il avoir peur de la nouvelle économie*, il se présente lui-même comme « l'un des maîtres du monde » : il suffit de répéter un slogan pour qu'il s'ancre dans la tête des destinataires... Donner une bonne image, c'est de la bonne publicité.

La National Science Foundation estimait déjà il y a 20 ans que les enfants nord-américains s'exposent volontairement à 20 000 messages publicitaires chaque année.

« Il va de soi que la "culture pub" n'est pas la culture d'élite ; mais elle est un produit dérivé qui finit par supplanter la culture » résume Mathieu Guidère (2000) dans *Publicité et traduction*. La publicité influence la « culture cultivée », mais elle influe tout autant sur notre vie quotidienne. Et avec quelle force ne tisonne-t-elle pas les jeunes esprits ! La National Science Foundation estimait déjà il y a 20 ans que les enfants nord-américains s'exposent volontairement à 20 000 messages publicitaires chaque année (*Research on the Effects of Television Advertising on Children*, 1977). Or Louis Quesnel explique dans *Communications* (nº 17, 1971) : « La publicité est normative : elle pose, expose, impose une nouvelle table des valeurs, un style de vie, des modèles de comportement. Elle dit aux nouveaux riches de la civilisation moderne occidentale comment il convient de vivre et d'être, comment "on" s'habille et "on" se déshabille, comment "on" travaille et "on" s'amuse, comment "on" sera éternellement jeune, aimé, heureux. Le monde de la publicité est celui du "on" heideggérien, du moi impersonnel, et, selon Heidegger, inauthentique. » Jeunes comme moins jeunes, tous sont culturellement colonisés par l'imagerie publicitaire et, « inauthentiques », ils ne sont plus eux-mêmes mais des décalques de « on ».

Même les intello-professionnels succombent aujourd'hui au monde de l'image. Ils auraient honte de se payer une nuit au Ritz Carlton mais ils se payent le pèlerinage à pied à Saint-Jacques-de-Compostelle ou s'envolent pour aller embrasser à Jérusalem le Mur des lamentations (idées glanées dans la section loisirs de leur périodique préféré) ; ils habitent un quartier populaire mais leur salle d'eau, grande comme le domicile de la famille immigrée, est lambrissée d'ardoise éclatée à la main par un artisan Fung Shui (idée reprise de l'émission *Habitat* de leur chaîne favorite). Ils ne porteraient pas de complets Armani ou d'escarpins Méphisto mais, pour marcher un kilomètre à Mont-Tremblant, ils sont prêts à investir une semaine de salaire dans un techno-vêtement Kanuk ou Chlorophylle. Les socio-intellectuels critiquent la société de consommation mais ils ont déjà été repérés et catalogués comme consommateurs types ; ce sont les « bobos » que David Brooks (2000) décrit dans son livre *Les bobos : les bourgeois bohèmes*.

Je clos cette section avec Henri Gobard (1979) qui écrit dans *La Guerre culturelle : logique du désastre* : « Nous découvrons difficilement l'incompatibilité entre l'économie et la culture ; il faut choisir entre ceux qui veulent compter leur or, et ceux qui veulent conter leur rêve. »

Épilogue : La publicité, déchet culturel

Le commerce avec son bras communicationnel, la publicité d'image, réussit si bien que les 10 % de la population de la terre dont nous faisons partie consomment 90 % de ses ressources. Nous consumons les ressources naturelles des pays pauvres où adultes et enfants besognent comme esclaves sous-payés pour que nous consommions des biens qui aboutissent à des montagnes de détritus... que nous cherchons à exporter dans ces mêmes pays en échange de quelques dollars.

La publicité est manipulatrice. La publicité est insignifiante. La publicité est grotesque. La publicité est envahissante. Est-ce vraiment le cas ? C'est un point de vue bien personnel car — on l'a constaté plus haut dans le sondage Descarie & Complices mentionné dans la section « La publicité ramollit l'être » — le grand public *aime* la publicité : les trois-quarts des Québécois apprécient fortement la publicité québécoise. Oui, « les gens » aiment, mais moi, je hais la publicité. Suis-je un maladapté social ? Pourquoi haïr la publicité ? Parce qu'elle est insistante, me débusque où que je sois, me harcèle en me rebâchant mille fois le même message, me fait de l'appel de la cuisse comme une putain, bref, elle ternit mon bonheur actuel en me promettant des plaisirs à venir.

La publicité échafaude un monde virtuel pour les yeux du quidam, un monde de l'apparence quand ce n'est pas un monde du faux-semblant. Un directeur artistique de mes amis, Denis Ducharme, a fait une carrière écourtée mais prolifique. Il avait des idées à revendre, et un coup de crayon magique. Artiste comme il était, il avait digéré son environnement et il portait un jugement sévère sur le monde de la publicité : « Fake area ! » allait-il répétant dans son mauvais anglais.

Le journaliste André Pratte de *La Presse* explique dans son ouvrage critique, *Les Oiseaux de malheur*, comment les médias se nourrissent de sang, de sexe et de sport... dans une perspective à courte vue. Les publicitaires jouent en contrepoint le rôle « d'oiseaux de bonheur ». Pratte (2000) l'admet explicitement : « Les médias ont toujours mis l'accent sur les mauvaises nouvelles, sur les drames, les scandales, les échecs. C'est non seulement inévitable mais aussi nécessaire. D'autres personnes — les publicitaires, les relationnistes — sont payées pour diffuser les bonnes nouvelles. » La publicité ne diffuse que la « partie bonne nouvelle » de la réalité : « Fumez et savourez ! — et oubliez l'ombre de la mort qui se cache derrière chaque inhalation. »

Le monde que présente la publicité est un monde de facilité : il suffit d'acheter un objet pour obtenir le bonheur, claironne la publicité.

Le monde que présente la publicité est un monde de facilité : il suffit d'acheter un objet pour obtenir le bonheur, claironne la publicité. Ce genre de lavage de cerveau, le consommateur le subit répétitivement *ad nauseam*, si bien que le monde réel apparaît bien dur à plusieurs. Les plus fragiles s'esquivent et s'enferment dans « le monde virtuel », se cramponnant à leur petit écran. On pense que le monde virtuel est à venir mais il est déjà là ; il est de plus en plus présent à mesure que les médias de masse sont devenus omniprésents, en particulier depuis que les téléviseurs sont plus nombreux que les personnes dans les foyers.

Dans les médias de masse, il n'y aura bientôt plus de démarcation entre contenu éditorial et publicité. Déjà, nous sommes submergés par des formes hybrides qui servent à masquer le contenu persuasif à la solde des commerçants. On connaît déjà l'*infomercial*, cette publicité longue de 30 ou 60 minutes qui se déguise en émission-concours avec participants enthousiastes (stimulés par un chef de claque !) et témoignages d'acheteurs satisfaits (triés sur le volet !). Ou l'*advertorial*, ces cahiers spéciaux insérés dans les quotidiens ou les périodiques et qui ne sont qu'une publicité travestie en document journalistique. Et le *publi-reportage*, cette publicité à peine déguisée, rédigée par les journalistes d'un périodique et présentée sous mise en page éditoriale. Et que dire de ces échanges dans les forums Internet où des intervenants sont payés par les commerçants pour intervenir comme de simples usagers qui émettent des opinions « objectives » sur un sujet ? Ou ces envois de courriels dans lesquels un correspondant suggère un produit comme s'il était un pair du destinataire alors que le message a originalement été mis au point par un rédacteur publicitaire ?

Les loups de l'économie nous attendent au tournant ; même dans le monde virtuel, ce sont les rois de l'argent qui sont maîtres de jeu. Même nos paysages nationaux sont désormais gérés par les capitalistes de tous crins. Regarder le soleil se coucher sur les Laurentides coûte désormais quelques dollars ; écouter un filet d'eau gazouiller devient une activité touristique. Grâce à la publicité, ces plaisirs naguère gratuits sont transformés en produits commercialisés. Par la publicité, le contact avec notre Mère Terre est en train de se perdre au profit de « l'image de » : à vélo ou à pied, le citoyen est devenu un client qui ne parcourt plus que les sentiers tracés et tarifés, et il ne vit plus la nature sauvage qu'à travers sa pellicule Kodak. Pratiquement personne ne la connaîtra bientôt plus en profondeur. Surexploitée, désertifiée, épuisée par une consommation à outrance, la Terre pourra-t-elle encore compter sur des jeunes pour la défendre quand elle sera près de succomber ?

Ce n'est pas que les jeunes générations rechignent à la fatigue ou au risque. Ce sont les *baby-boomers* qui les tiennent dans l'ouate et qui n'osent plus leur proposer des défis stimulants ; les riches *baby-boomers* ont habitué leurs rejetons à tout obtenir facilement : en consommant ! Même les sports extrêmes sont devenus produits de consommation : une descente en radeau se fait désormais dans un parc aquatique (« Les glissades d'OOOHHHHHHH ! » dit le slogan de l'Aquaparc). C'est plus profitable... pour le commerce. Mais comme le disait le Cid de Corneille : « À vaincre sans péril on triomphe sans gloire. »

La publicité est en train de convaincre les jeunes que le virtuel est plus gratifiant que le réel. Prenons par exemple l'apprentissage du piano : jouer pour vrai prend trois ans — pour pouvoir pianoter un peu ! — alors que le Rapman de Casio à 150 $ donne déjà sans temps ni effort l'impression d'être un artiste. Si bien que, grâce à la publicité, chaque jeune s'imagine qu'il sera encore meilleur si le clavier qu'il achète coûte 1 500 $ au lieu de 150 $ — même s'il ne connaît rien au solfège. *Avoir* un clavier donne désormais plus de satisfaction qu'*être* musicien. D'autant plus que, dans notre société du superficiel, de l'apparence, voire du faux-semblant, qui s'intéressera à vos problèmes d'apprentissage du piano ? Combien sont capables de lire à vue une musique simple ? Qui connaît les musiciens du passé ? Du bambin de garderie à 5 $ au détenteur d'un baccalauréat, par la publicité, nous devenons tous des clones au service de l'économie. Si un jeune parle de son clavier Casio qui diffuse son image de marque à coup de millions de dollars publicitaires, plein de jeunes de son entourage se trouveront intéressés, par l'électronique, au moins... ou par le nombre de ses touches... ou par le prix astronomique qu'il a coûté. Bref, pour un ado, c'est plus gratifiant de parler Casio que de toucher le Steinway.

Les chercheurs Ritson & Elliott (1999) ont bien montré, dans *Advertising to Children*, l'importance de la publicité dans la culture des adolescents. Comme sujet de conversation et d'intégration au groupe de pairs, la publicité tient, selon eux, une place comparable au sport, à l'argent, aux objets possédés et au statut. Un jeune résume la situation en ces mots : « Si quelqu'un parle d'une pub et que vous n'avez pas idée de quoi il parle, vous n'existez pas (*dead left out*). »

Seuls quelques rares saints (ou artistes !) peuvent survivre à la pression des médias de masse envahissants, de la publicité astucieuse et de la masse des consommateurs silencieux. Quelle place notre société laisse-t-elle à un jeune qui caresse un grand idéal ? « Il est beaucoup plus américain d'acheter que de créer », disait le pape du pop, l'artiste-peintre de la soupe Campbell, Andy Wharhol... qui travaillait aussi pour la publicité. Voltaire se trompait : ce n'est pas la religion qui est l'opium du peuple, qui gèle les esprits ; ce sont les biens vantés par la publicité. C'est l'argent du développement de l'intelligence, du partage international, du temps de méditation qui est ainsi gaspillé en millions de panneaux-réclame lumineux, en milliers d'heures d'émissions de télévision insipides, en radiodiffusion musicale simpliste ; tous ces médias travaillent de concert et vivent de vanter des gadgets électroniques de plus en plus sophistiqués, et autres babioles qui excitent le chaland.

Comment se fait-il que le citoyen ordinaire se laisse ainsi voler son argent, donc son temps — et peut-être même son âme ! — par les marchands ? Par un effet de conséquence de la complicité naturelle entre les médias de masse et l'élite bourgeoise. Les médias ouvrent large leurs portes aux gens en place qui profitent gratuitement des antennes pour répandre leurs valeurs de puissants, de riches, de beaux, de célèbres. Au besoin, on met au point une série *Riches et célèbres* pour faire saliver les petites gens. Sur quoi ? Sur le faux bonheur que semblent procurer les objets. Les riches s'offrent eux-mêmes en modèle aux pauvres... qui s'endettent à vouloir les imiter. Et à qui le citoyen endetté doit-il cet argent ? À ceux qui se présentent comme modèles dans les médias, ceux qui possèdent déjà l'argent. Scandaleux !

À l'Université Laval, le journal étudiant *Impact Campus* rapportait une citation du généticien Albert Jacquard qui parlait devant les invités de la Fondation Solidarité Pauvreté Limoilou. Le scientifique lançait dans une formule elle-même médiatique comme il sait si bien les buriner : « J'accuse l'intégrisme économique. » Oui, dans le Québec moderne, l'intégrisme économique est plus dévastateur que l'intégrisme religieux. Si l'ouverture à la vie, si la solidarité humaine, l'hospitalité envers les étrangers, la prudence écologique, toutes ces qualités des gens des sociétés pauvres s'en vont à vau-l'eau dans les sociétés riches, c'est que la pensée économique à courte vue est dominante et ne laisse plus de place à d'autres approches de la réalité. Dans nos pays, tout se chiffre en signe de piastres, sans quoi on est facilement accusé d'irréaliste, ce qui apparaît aux yeux de tous comme la pire des insultes. Or la publicité agit comme porte-voix de ces écono-intégristes !

Dans *The Permissible Lie*, le publicitaire à la retraite, Sam Baker (1968), stigmatise le monde de la publicité en ces mots : « Il y a quatre ans, je quittais Madison Avenue [le quartier des agences de publicité à New York] pour me consacrer à l'écriture. Ma conclusion, après 30 ans d'expérience, se résume à ceci : le but principal de la publicité est de produire des profits ; servir le public devient une considération secondaire et est limité par la motivation du profit. Naturellement, le mensonge de ne doit pas être évident au point de causer des torts à l'entreprise. » Moi-même, comme publicitaire et comme professeur de publicité, est-ce que je ne participe pas à l'édification du malheur de mes propres enfants et petits-enfants en disséminant des milliers de messages publicitaires qui répandent la rumeur que tout se juge à l'étalon or, à l'étalon des apparences, que vivre c'est posséder ? Le bonheur ne se mesure pas à l'aune de l'économie. Personne ne trouve le bonheur dans l'argent, les biens matériels, les objets et le mode de vie vanté par la publicité.

Or la publicité fascine de plus en plus de monde, y compris les universitaires qui sont toujours habités par la vague impression d'être hors-jeu quand ils ne trempent pas les pieds dans « la vraie vie ». Les annonces publicitaires sont acceptées comme sujet de travaux longs en sociologie ou en anthropologie, servent d'arguments visuels aux professeurs d'administration, sont rassemblées en corpus pour la réflexion éthique des moralistes, quand elles ne sont pas tout simplement parsemées, découpées en petits morceaux, dans les exposés trop sérieux de chercheurs en physique ou en sciences de la santé. Les sérieux penseurs eux-mêmes sont happés par le typhon culturel qu'est devenue la publicité ; même une sommité universitaire comme Roland Barthes a accepté de travailler pour Publicis, la première agence française en son temps.

La publicité fascine de plus en plus de monde, y compris les universitaires.

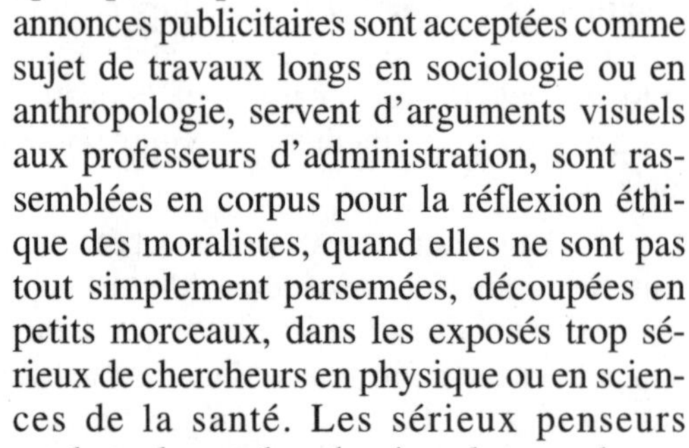

Le cinéma a réalisé plus d'une centaine de longs métrages dont le sujet est le milieu publicitaire. La chaîne de télévision TVA diffuse en 2001 une télédramatique, *Tribu.com*, dont le noyau est une agence de publicité. Le réseau de télévision TQS présente chaque semaine une émission d'information (!) grand public intitulée *Planète Pub*. Les journalistes voient dans la publicité matière à nouvelle : ils m'interviewent le lendemain du 34e SuperBowl qui devient un événement de culture publicitaire autant que de sport (une publicité de 30 secondes y coûte 2 millions de dollars et il est déjà arrivé que 44 % d'une plage de 45 minutes de « jeu » soit occupée par la pub). La publicité fascine.

Or des annonces qui vantent la déchéance morale, la violence sous toutes sortes de formes, qui présentent le vice sous l'apparence de la vertu, il y en a plein les médias, particulièrement ceux qui visent les jeunes. Pour le constater, on n'a qu'à se brancher sur Musique Plus, ou lire les magazines pour la jeunesse internationale *Max* ou *Interview*. Certains exemples de publicité ont de quoi hérisser le poil des moins chatouilleux.

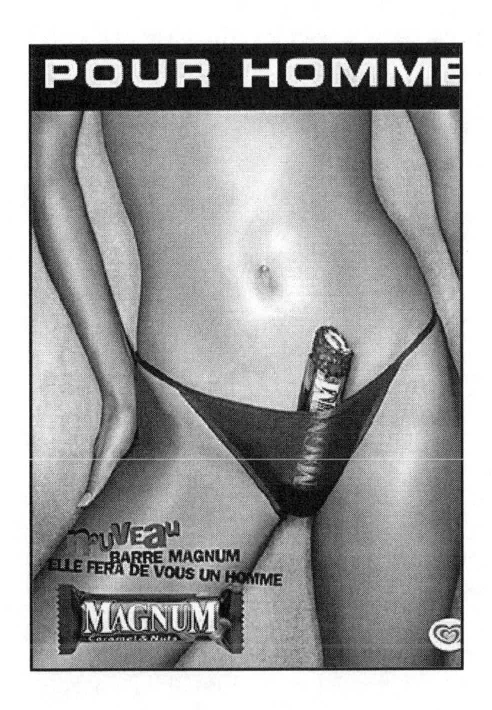

Sexe au Max

La revue Max *courtise les jeunes publics. Elle affiche beaucoup de publicités à connotations sexuelles. Ces annonces ne sont pas toujours subtiles ; elles sont parfois des exemples du plus mauvais goût (sans jeu de mots !). Ici, quelle est la pertinence d'une telle « argumentation » visuelle pour vendre une barre de chocolat Magnum (gros calibre !) ? L'image peut sans doute attirer l'œil, mais tranformera-t-elle le voyeur en consommateur ? Telle est la question (tiré de* Max*, mai 2001).*

Pour se défendre contre les miroitements de la culture de masse et les assauts de la publicité, certains jeunes se sont rassemblés sous la houlette d'un ex-communicateur, Kalle Lasn. Ils ont formé la Media Foundation qui publie un trimestriel *Adbusters*. Lasn (1999) écrit dans *Culture Jam* : « Notre but est de renverser les structures existantes du pouvoir et d'esquisser de nouvelles façons de vivre au 21e siècle. Nous pensons que le "blocage de la culture dominante" (*culture jamming*) sera pour notre temps, ce que la lutte pour les droits civiques a été dans les années soixante, le féminisme dans les années soixante-dix, l'activisme environnemental dans les années quatre-vingt. Cela va changer la façon dont nous vivons et pensons. » Dans *Adbusters*, on trouve des articles critiques sur notre société de masse et, surtout, on y propose des contre-pubs (et des articles) pour sensibiliser à la manipulation publicitaire. « *Adbusters* provoque depuis dix ans les géants du capitalisme en répondant à leurs publicités par des antipubs mordantes », écrit Brian Myles (*Le Devoir*, 17 février 1999). *Adbusters* suscite des adeptes : les jeunes Français viennent de se joindre au mouvement sous le nom de Casseurs de pub (site Internet : http://antipub.net/).

L'activisme politique par l'intermédiaire des médias s'étend ; le citoyen politisé comprend que seul l'accès aux médias de masse permet d'exercer de l'influence dans les démocraties contemporaines. Marie-Claude Lortie, journaliste à *La Presse*, a mis le pied dans un camp où ces activistes peuvent parfaire leur compétence : « Organisé par la Ruckus Society, un groupe légendaire aux États-Unis, spécialisé en action directe, [un] camp offrait toutes sortes d'entraînements, dont un volet complet sur le théâtre politique et ce qu'on appelle en anglais le "culture jamming". Le "culture jamming", c'est du détournement publicitaire, une pratique qui consiste à parodier la publicité ou à peindre carrément sur les affiches extérieures, pour donner un nouveau sens (anticonsommation) aux annonces » (11 avril 2001). Les activistes de Greenpeace ont compris comment fonctionne le blocage culturel, qu'ils ne peuvent obtenir de l'espace médiatique qu'en misant sur la créativitré raccoleuse propre à la publicité.

Dans *La Morale*, Francesco Alberoni (1993), médecin et sociologue, provoque à la lutte — à la lutte des idées : « La vie, l'évolution, le progrès exigent de chacun qu'il s'affirme, qu'il fasse prévaloir sa vérité, sa foi, qu'il lutte pour s'imposer, pour triompher. » En effet, il ne faut pas laisser l'idée de progrès être expliquée par les seuls marchands (et leurs économistes de l'université), car, comme le résume si bien Lasn, « le "progrès" économique est en train de tuer la planète ». Il faut donc inverser la vapeur. « Nous n'avons pas besoin d'un million d'activistes pour déclencher cette révolution. Tout ce dont nous avons besoin, c'est une minorité influente qui sent que le vent tourne, qui mise sur le momentum et propose des stratégies bien coordonnées de marketing social » ajoute Lasn. Marketing social ? Oui, ce marketing qui vise le bien-être de l'ensemble de la société. Il faut combattre le mal par le mal : le citoyen ordinaire doit maîtriser l'approche sensationnaliste des médias, être capable de fignoler un concept publicitaire percutant. Patrick Farbiaz (1999) écrit dans *Comment manipuler les médias* : « La drogue [des médias] est tellement forte qu'on en oublie que la communication est d'abord une idéologie qui au 20e siècle a avant tout servi à faire la guerre. [...] Les citoyens, eux, ont été les grands exclus de cette montée en puissance de la communication assimilée au progrès. [...] Aujourd'hui, c'est le cybermonde qui est devenu la nouvelle frontière de la résistance électronique. Mais l'exigence reste la même : reprendre la parole, communiquer librement, utiliser les médias comme autant d'armes critiques à la disposition des citoyens. »

La publicité est une mère sans lait pour les jeunes Québécois d'aujourd'hui ; ceux-ci ne se rendent même pas compte qu'ils sont devenus les rouages publicitaires du commerce. Un exemple : la fille d'une amie est étudiante au programme international de la Commission scolaire des Découvreurs dans la chic banlieue ouest de Québec. Elle m'annonce que la parade de mode aura lieu dans trois jours. Quelle parade de mode ? « Celle des étudiantes de deuxième secondaire. Les étudiantes y travaillent depuis des mois : musique, démarchage, billetterie, publicité, etc. Sports Experts a accepté que l'on présente sa collection. Il y aura 200 personnes », m'annonce-t-elle toute fière. « Et cela compte pour leur service communautaire » se réjouit-elle. « Et, ajoute-t-elle, en cinquième secondaire, c'est mieux : les filles modèlent des vêtements de chez Simon's, de chez Gap. Elle réussissent à rassembler 1 000 spectateurs payants ! » Ce grand projet social et culturel est une opération de publicité et de marketing réalisée à toutes fins utiles gratuitement pour les marchands de la région. Comme le rappelle Lucie Paiement : « Le phénomène [publicitaire] est incontournable et s'est immiscé dans notre quotidien presque à notre insu.

La publicité y occupe une zone floue mais bien réelle, d'où elle tire des ficelles loin d'être inoffensives » (Revue *RND*, février 2000).

Voici une fable proposée par Milan Kundera (1990) dans *L'Immortalité* : « [Avenarius se tourna vers moi :] "Je t'ai raconté mon projet de sondage : demander aux gens s'ils préfèrent coucher secrètement avec Rita Hayworth [que l'on peut remplacer en 2001 par Julia Roberts !] ou se montrer avec elle en public. Le résultat est, bien sûr, connu d'avance : tout le monde, jusqu'au dernier des pauvres types, prétendra vouloir coucher avec elle. Car à leurs propres yeux, aux yeux de leurs femmes ou de leurs enfants, et même aux yeux de l'employé chauve de la maison de sondage, ils veulent tous paraître hédonistes." Il prononça ces derniers mots avec une certaine gravité, puis ajouta en souriant : "Sauf moi." Et il poursuivit : "Quoi qu'ils en disent, s'ils avaient vraiment le choix, tous ces gens-là je t'assure, tous, préféreraient à la nuit d'amour une promenade sur la grand-place. Car c'est l'admiration qui leur importe et non pas la volupté. L'apparence, et non la réalité. La réalité ne représente plus rien pour personne. Pour personne." » Voilà sur quoi misent les publicitaires : l'apparence.

Postlude

Je termine ce livre sur un ton acide ? C'est mon rôle de critiquer ; comme professeur d'université, je suis payé pour penser. La passionnée journaliste Judith Jasmin déclarait dans *Points de vue* : « Un intellectuel, à mon sens, est un homme [donc une femme !] qui n'arrête pas de lire après le collège, qui, dans son échelle des valeurs, ne place pas immanquablement l'argent au sommet et qui, toute sa vie, modestement, continue à se poser des questions » (Beauchamp, 1996). J'endosse ! J'enseigne aux jeunes comment faire de la publicité mais en les éveillant à la publicité sociale. Je reconnais que la publicité est un moyen de communication nécessaire dans les sociétés de masse dans lesquelles nous évoluons désormais, mais je dénonce ici *les excès* de la publicité.

La publicité est un moyen de communication nécessaire [...] mais je dénonce ici les excès.

La publicité est-elle nécessaire dans notre monde économique ? Sans doute. Mais la question n'est pas là. La question est : « Jusqu'où iront les publicitaires pour atteindre les fins de leurs riches mandataires ? » Leurs images continueront-elles à dévoiler sur la place publique les moments les plus intimes des relations humaines ? La douleur d'une mère devant la mort imminente d'un fils ? Les yeux brûlants de plaisir réservés jusqu'ici à l'amant ? L'horreur sanguinaire disséminée par un prédateur psychopathe ? L'extase du croyant en contemplation devant son Dieu ?

La publicité continuera-t-elle d'envahir tout espace public ? Maintenant que Québec a son Colisée Pepsi, pourquoi Montréal n'aurait-il pas sa Place des arts DuMaurier ? Trois-Rivières son Université IBM ? (Chicago a bien son Kellogg's School of Administration !) Et comme il n'y a rien de sacré pour les marchands, pourquoi pas l'Oratoire Saint-Joseph–Desjardins, ou le parc Mont-Tremblant–Louis-Garneau ? Ou le Parlement Bombardier ? La Société des postes a bien imprimé des timbres Pablum et McCain ! Et pourquoi pas un tatouage permanent Hilfiger ou Gap sur la poitrine des jeunes ? Ou une « scarification » Huggies sur les fesses de votre bébé ? Pour combien de dollars ? L'argent n'a pas d'odeur, dit-on.

Rien n'arrêtera les gens d'argent. Voici les déclaration de chefs d'entreprise importants : « En regardant l'avenir, je tremble d'excitation car les soupes Campbell's sont désormais engagées dans une croisade totale pour gagner le consommateur » (Campbell's Soup Company, *Annual Report* 1994). « J'envisage le jour où les Arabes comme les Américains, les Latins comme les Scandinaves croqueront des biscuits Ritz avec autant d'enthousiasme qu'ils boivent déjà du Coke ou se brossent les dents avec du Colgate » (Le président de Nabisco). « Notre priorité est de dominer d'abord l'Amérique du Nord, ensuite l'Amérique du Sud, ensuite l'Asie et enfin l'Europe » (David Glass, président de Wal-Mart). Ces riches deviennent riches en suçant l'argent des petites gens. Selon un rapport du Conseil canadien de développement social, l'inégalité entre pauvres et riches s'est accrue entre 1993 et 1998 : le revenu annuel des 20 % des plus riches salariés a augmenté de 20 000 $ alors que le revenu annuel des 20 % les plus pauvres a diminué de 1 000 $. En faisant croire qu'ils obtiendront le bonheur en achetant leurs produits — ce qui est le rôle des publicitaires qui agissent pour eux comme des haut-parleurs — les riches s'engrossent aux dépens des pauvres.

Or consommer ne rend pas heureux. Tout être humain est fondamentalement un créateur ; il ne peut savourer un sentiment de réalisation, de plénitude, que s'il crée lui-même. Seule la création lui permet d'exister pleinement. Ceux qui ne créent pas doivent trouver compensation ; cela se manifeste souvent par une frénésie à « avoir » : avoir un beau bungalow, une rutilante auto, une troisième radio, un gros bateau, un sixième manteau... On se rabat sur la consommation... dans laquelle l'âme se consume. Dans notre civilisation de l'obsolescence, on sent bien, en effet, que tout se démode, aussi bien les idées que les objets — quand ce ne sont pas les êtres humains eux-mêmes ! Pour s'en défendre, il faut se défendre de l'envahissement publicitaire. La publicité est charmante-charmeuse. Mais, comme le rappelle le photographe publicitaire Oliviero Toscani : *La pub est une charogne qui nous sourit.*

Chacun a le devoir d'être lui-même ! Il faut penser par soi-même, et pour cela s'isoler de « la persuasion clandestine » ! Ne pas se laisser entraîner comme les moutons d'un troupeau docile vers l'abattoir économique. Sinon, à échéance, c'est la mort sociale. Frédéric Beigbeder (2000) écrit dans *99 francs* : » Cette civilisation repose sur les faux désirs que le créateur publicitaire conçoit. Elle va mourir. » La civilisation suffoque déjà sous la masse de déchets culturels produits par la publicité.

« Démonter les mécanismes et artifices
du conditionnement publicitaire
ne suffit pas :
la déconstruction des discours
ne suffit pas
à la reconstruction de l'homme.
Il faut encore,
à l'encontre de cette idéologie
dominante et réductrice,
prôner l'idéal
d'une personne consciente,
libre
et responsable,
avoir foi dans l'homme
concret,
pluridimensionnel,
irréductible à la définition
d'animal structurable.
Il n'est pas de défense positive de l'homme
qui ne se fonde
sur une morale
de la liberté
et de la lucidité. »

François Brune
Le Bonheur conforme

Bibliographie

Alberoni, Francesco, *La Morale*, Plon, 1996.

Allard, Jean-Marie, *La pub : 30 ans de publicité au Québec*, Libre Expression, 1989.

Attali, Jacques, *Fraternités, une nouvelle utopie*, Fayard, 1999.

Bachelard, Gaston, *La psychanalyse du feu*, Gallimard, 1949.

Baker, Sam Sinclair, *The Permissible Lie ; the inside truth about advertising*, World, 1968.

Barthélémy et Tilliette, *La Pub : son théâtre, ses divas, l'argent de la séduction*, Éditions Autrement, 1983.

Beasley, Ron, Marcel Danesi et Paul Perro, *Signs for Sale : an outline of semiotic analysis for advertisers & marketers*, Legas, 2000.

Beauchamp, Colette, *Judith Jasmin : de feu et de flamme*, Boréal, 1996.

Beigbeder, Frédéric, *99 francs*, Grasset, 2000.

Benjamin, Jacques, *Comment on fabrique un Premier ministre québécois : de 1960 à nos jours*, L'Aurore, 1975.

Boisot, Marcel, *La Morale, cette imposture*, Le Pré aux clercs, 1999.

Bonnange, Claude et Chantal Thomas, *Don Juan ou Pavlov : essai sur la communication publicitaire*, Seuil, 1987.

Bouchard, Jacques, *Les 36 cordes sensibles des Québécois d'après leurs six racines vitales*, Héritage, 1978.

Bouchard, Jacques, *L'autre publicité, la publicité sociétale*, Héritage, 1981.

Brand, Horst W., *Die Legende von den « geheimen Verführern »*, Weinheim, 1978.

Brooks, David, *Les bobos*, Florent-Massot, 2000.

Caples, John, *Tested advertising methods*, Harper and Row, 1961.

Caples, John, *Making ads pay*, Harper, 1957.

Carpentier, Jean-Marc, *Fernand Seguin : le savant imaginaire*, Libre Expression, 1994.

Chandler, Jere, *Rewind*, http://members.aol.com/jerec7/negativ.html.

Cheskin, Louis, *Marketing : le système de Cheskin*, Chotard, 1971.

Chossudovsky, Michel, *La Mondialisation de la pauvreté : la conséquence des réformes du FMI et de la Banque mondiale*, Écosociété, 1998.

Cialdini, Robert B., *Influence : how and why people agree to things*, 1st Quill, 1984.

Collectif, *The Ethical Problems of Modern Advertising*, Arno Press, [1931] 1978.

Collectif, *Truth in Advertising*, Toronto, Fitshenry et Whiteside, 1972.

Connelly, Michael, *Le Poète*, Seuil, 1997.

Cossette, Claude, *Le Québécois se fend en quatre : la comportementalité et la mobilité-versatilité comme facteurs de stratification de la masse québécoise*, École des arts visuels, Université Laval, 1976.

Dardour, Karim, *Les Critères informatifs de la publicité*, thèse de maîtrise, Université Laval, 1998.

Darmon, René Y., Michel Laroche et John V. Pétrof, *Le Marketing : fondements et applications*, Chenelière/McGraw-Hill, 1978.

DeMooij, Marieke K., *Global Marketing and advertising : understanding cultural paradoxes*, Sage, 1997.

Dichter, Ernest, *The Strategy of Desire*, Doubleday, 1960.

Dixon, Norman-F., *Subliminal Perception : The Nature of a Controversy*, McGraw-Hill, 1971.

Dufresne, Jacques, *Après l'homme, le cyborg*, MultiMondes, 1999.

Dyens, Ollivier, *Chair et métal*, VLB, 2000.

Ewen, Stuart, *Consciences sous influence : publicité et genèse de la société de consommation*, Aubier Montaigne, 1983.

Farbiaz, Patrick, *Comment manipuler les médias : 101 recettes subversives*, Denoël, 1999.

Festinger, Leon A., *Theory of Cognitive Dissonance*, Stanford University Press, 1957.

Fox, Stephen R., *The mirror makers : a history of American advertising and its creators*, Morrow, 1994.

Frank, Lawrence, *Signe, image, symbole*, 1965.

Freud, Sigmund, *Beyond the Pleasure Principle*, Norton, 1961.

Galbraith, John Kenneth, *L'Ère de l'opulence*, Calmann-Lévy, 1961.

Girod, R., *L'Illétrisme*, Presses universitaires de France, 1997.

Gobard, Henri, *La Guerre culturelle : logique du désastre*, Copernic, 1979.

Goldberg, Marvin, *Advertising to Children : concepts and controversies*, Sage, 1999.

Guichardaz, P., P. Lointier et P. Rosé, *L'Infoguerre : stratégies de contre-intelligence économique pour les entreprises*, Dunod, 1999.

Guidère, Mathieu, *Publicité et traduction*, L'Harmattan, 2000.

Guisnel, Jean, *Guerre dans le cyberespace*, La Découverte, 1995.

Gutstein, Donald et Richard Gruneau, *The Missing News : Filters and Blindspots in Canada's Press*, Garamond Press, 2000.

Haberstroh, Jack, *Ice Cube Sex : The Truth about Subliminal Advertising*, Cross Cultural Publications, 1994.

Haineault, Doris-Louise et Jean-Yves Roy, *L'inconscient qu'on affiche : un essai psychanalytique sur la fascination publicitaire*, Aubier, 1984.

Higgins, Dennis, *The Art of Writing Advertising : Conversations with William Bernbach, Leo Burnett, George Gribbin, David Ogilvy, Rosser Reeves*, National Textbooks, 1965.

Hopkins, Claude C., *Mes succès en publicité*, La Publicité, 1927.

Hopkins, Claude C., *Scientific Advertising*, NTC Business Books, [1927] 1986.

Inglis, Fred, *The Imagery of Power : a critique of advertising*, Heinemann, 1972.

Jackall, Robert et Janice M. Hirota, *Image Makers : advertising, public relations, and the ethos of advocacy*, University of Chicago Press, 2000.

Jacquard, Albert, *La Légende de demain*, Flammarion, 1997.

Joannis, Henri, *De l'étude de motivation à la création publicitaire et à la promotion des ventes*, Dunod, 1965.

Johnston, Russell, *Selling Themselves : The Emergence of Canadian Advertising*, University of Toronto Press, 2001.

Jones, Stan *et al.*, *Literacy, Economy and Society : results of the first International Adult Literacy Survey*, Statistique Canada, 1995.

Kapferer, Jean-Noël, *Les Chemins de la persuasion : le mode d'influence des media et de la publicité sur les comportements*, Gauthier-Villars, 1978.

Kapferer, Jean-Noël, *Les Marques, capital de l'entreprise*, Éditions d'Organisation, 1991.

Keynes, John Maynard, *Théorie générale de l'emploi, de l'intérêt et de la monnaie*, Payot, [1936] 1977.

Kilbourne, Jean, *Deadly Persuasion*, The Free Press, 1999.

Klein, Naomi, *No Logo : la tyrannie des marques*, Actes Sud, 2001.

Klimov, Alexis, *Terrorisme et beauté*, Éditions du Beffroi, 1986.

Kundera, Milan, *L'Immortalité*, Gallimard, 1990.

Lagneau, Gérard, *Le Faire-valoir : une introduction à la sociologie des phénomènes publicitaires*, SABRI, 1969.

Lasn, Kalle, *Culture Jam : the uncooling of America*, Eagle Brook, 1999.

Lauzon, Léo-Paul, *Contes et comptes du prof Lauzon*, Lanctôt, 2001.

Le Bon, Gustave, *Psychologie des foules*, Flammarion, 1912.

Literacy, Economy and Society, Statistics Canada & Organisation de coopération et de développement économiques, 1995.

Lord Durham, *Le Rapport Durham* (1838), Les Éditions Sainte-Marie, 1969.

Machiavelli, Niccolò, *Le Prince*, Presses Pocket, 1990.

Marcuse, Herbert, *Vers la libération : au-delà de l'homme unidimensionnel*, Denöel-Gonthier, 1964.

Martineau, Pierre, *Motivation in Advertising ; motives that make people buy*, McGraw-Hill, 1957.

Maslow, Abraham-H., *Motivation and Personality*, Harper, 1954.

Mazel, Jacques, *Socrate*, Fayard, 1987.

McCarthy, E. Jerome, *Basic Marketing, a managerial approach*, R.D. Irwin, 1960.

McLuhan, Marshall, *Pour comprendre les média : les prolongements technologiques de l'homme*, HMH, 1968.

Messier, Jean-Marie, dans j6m.com : Faut-il avoir peur de la nouvelle économie comme « l'un des maîtres du monde » (2000).

Moles, Abraham et Claude Zeltmann, *La Communication*, Centre d'étude et de promotion de la lecture, 1971.

Mond, Georges, *Les Communications de masse*, Hachette, 1972.

Morris, Desmond, *Le Singe nu*, Grasset, 1968.

O'Connor, M. et F. P. Woodford, *Writing scientific papers in English*, Elsevier, 1975.

Ogilvy, David, *La Publicité selon Ogilvy*, Dunod, 1983.

Ogilvy, David, *Les confessions d'un publicitaire*, Dunod, [1964] 1977.

Packard, Vance, *La Persuasion clandestine*, Calmann-Lévy, 1958.

Paquette, Claude, *L'Effet caméléon : à la recherche d'une cohérence dans nos valeurs*, Québec-Amérique, 1990.

Pate, Russ, *Adman : Morris Hite's Methods for Winning the Ad Game*, E-Heart Press, 1988.

Pavlov, Ivan P., *Les Réflexes conditionnés*, Alliance culturelle du livre, 1962.

Popcorn, Faith, *EVEolution*, Éditions de l'Homme, 2001.

Pratkanis, Anthony R. et Elliot Aronson, *Age of Propaganda : The Everyday Use and Abuse of Persuasion*, Freeman, 1991.

Pratte, André, *Les oiseaux de malheur : essai sur les médias d'aujourd'hui*, VLB, 2000.

Ramonet, Ignacio, *Le Monde diplomatique*, février 1998.

Ramsey, Iain, *Advertising Self-Regulation*, Conférence Exploring Voluntary Codes and Their Role in the Marketplace, Ottawa, 1996.

Reeves, Rosser, *Le Réalisme en publicié*, Dunod, 1963.

Ries, Al. et Jack Trout, *Marketing Warfare*, McGraw-Hill, 1988.

Ritson et Elliott, dans Macklin, Carole et Les Carlson (dir.), *Advertising to children : concepts and controversies*, Sage, 1999.

Roque, Georges, *Ceci n'est pas un Magritte : essai sur Magritte et la publicité*, Flammarion, 1983.

Schiller, Dan, *Digital Capitalism : Networking the Global Market System*, MIT Press, 2000.

Schneider, Danièle, *Art-Pub : la pub détourne l'art*, Tricorne, 1999.

Schor, Juliet, *The Overspent American : Why We Want What We Don't Need*, HarperCollin, 1998.

Scott, Walter Dill, *Influencing Men in Business*, Small, Maynard, 1911.

Scott, Walter Dill, *The Psychology of Advertising*, Small, Maynard, 1908.

Sen, Amartya Kumar, *Collective Choice and Social Welfare*, Holden-Day, 1970.

Servan-Schreiber, Jean-Louis, *Le pouvoir d'informer*, Laffont, 1972.

Sidis, Boris, *The psychology of suggestion ; a research into the subconscious nature of man and society*, Appleton & company, 1898.

Singer, Benjamin D., *Advertising & Society*, Addison-Wesley, 1986.

Spero, Robert, *The Duping of the American Voter : dishonesty and deception in presidential television advertising*, Lippincott & Crowell, 1980.

Stacey, Robert, *The Canadian Poster Book : 100 years of the poster in Canada*, Methuen, 1979.

Swiners, Jean-Louis et Jean-Michel Briet, *Les 10 campagnes du siècle*, Marello, Veyrac, 1978.

Taylor, Eldon, *Subliminal Communication : emperor's clothes or panacea*, Just Another Reality, 1986.

Tchakhotine, Serge, *Le viol des foules par la propagande politique*, Gallimard, [1939] 1952.

Toscan, Oliviero, *La pub est une charogne qui nous sourit*, Hoëbeke, 1995.

Turner, Ernest, *The Shocking History of Advertising*, Penguin, 1952.

Twitchell, James B., *AdCult USA : the triumph of advertising in American culture*, Columbia University Press, 1996.

Umiker-Sebeok, Jean (dir.), *Marketing and Semiotics : new directions in the study of signs for sale*, Mouton de Gruyter, 1987.

Usunier, Jean-Claude, *International Marketing : A Cultural Approach*, Prentice-Hall, 1993.

Vielfaure, Claude *et al.*, *La Publicité de A à Z*, CEPL, 1975.

Volkoff, Vladimir, *Petite Histoire de la désinformation : du Cheval de Troie à Internet*, Monaco, Rocher, 1999.

Wackernagel, Mathis et William Rees, *Notre empreinte écologique : comment réduire les conséquences de l'activité humaine sur la Terre*, Écosociété, 1999.

Ward, Scott, *How children learn to buy*, Sage, 1977.

Watson, John B., *Behavior : and introduction to comparative psychology*, H. Holt, 1914.

Wells, William, John Burnett et Sandra Moriarty, *Advertising : Principles and Practice*, Prentice-Hall, 1998.

Zipf, George K., *The Psychobiology of Language*, Houghton Mifflin, 1935.

Index des noms propres

Index des sujets

Table des matières

DANS LA MÊME COLLECTION

Laurent Laplante
Le suicide

Jacques Dufresne
La reproduction humaine industrialisée

Gérald LeBlanc
L'école, les écoles, mon école

Jean Blouin
Le libre-échange vraiment libre ?

Jacques Dufresne
Le procès du droit

Vincent Lemieux
Les sondages et la démocratie

Michel Plourde
La politique linguistique du Québec (1977-1987)

Laurent Laplante
L'université. Questions et défis

Jean-Pierre Rogel
Le défi de l'immigration

Jacques Henripin
Naître ou ne pas être

Diane-Gabrielle Tremblay
L'emploi en devenir

Laurent Laplante
La police et les valeurs démocratiques

Louise Corriveau
Les cégeps, question d'avenir

Laurent Laplante
L'information, un produit comme les autres ?

Michel Venne
Vie privée & démocratie à l'ère de l'informatique

Gary Caldwell
La question du Québec anglais

Mona-Josée Gagnon
Le syndicalisme : état des lieux et enjeux

Hélène Cajolet-Laganière et Pierre Martel
La qualité de la langue au Québec

Laurent Laplante
L'angle mort de la gestion

Michel Venne
Ces fascinantes inforoutes

Françoise-Romaine Ouellette
L'adoption : les acteurs et les enjeux autour de l'enfant

Pierre Martel et Hélène Cajolet-Laganière
Le français québécois : usages, standard et aménagement

Mona-Josée Gagnon
Le travail : une mutation en forme de paradoxes

Maurice Harvey
Pour une société en apprentissage

Vincent Lemieux
La décentralisation

Pierre-André Julien
Le développement régional : comment multiplier les Beauce au Québec

Jacques Roy
Les personnes âgées et les solidarités : la fin des mythes

Vincent Lemieux
À quoi servent les réseaux sociaux ?

Raymond Lemieux et Jean-Paul Montminy
Le catholicisme québécois